人生的四大祕密

快樂的祕密

The Ten Secrets of Abundant Happiness

亞當・傑克遜（Adam J. Jackson）◎著　周思芸◎譯

我要向在我寫作這本書期間，給予我協助的所有人致謝，特別是以下幾位：

我的版權代理人莎拉．麥古和她的助理喬治亞．格洛弗，謝謝他們為我所做的努力和種種設想；

始終鼓勵我，並給予我靈感的母親；引導我、鼓勵我的父親，和我親愛的家人與朋友們；

最後——我的妻子凱倫，也是我最親密的朋友和編輯，她對我及我的工作充滿信心，再多的言語都無法表達我對她的愛。

目錄

你踏遍千山萬水，
只為尋求快樂，
然而，快樂就在每個人身上……

——賀瑞斯

我問過許多人，這輩子最希望得到什麼？回答往往是：「我只要快樂。」既然大家都希望快樂，為什麼還有這麼多人不快樂呢？為什麼製藥廠生產最多的是抗抑鬱藥劑呢？

我相信，我們都擁有快樂的力量，更可以體驗到源源不絕的快樂，而這跟你有沒有錢、做什麼工作或住在哪裡都毫無關係。

快樂不只是遠離沮喪和不幸，更是一種欣喜的感覺、一種對生命的滿足與喜悅感。這並不是說你必須時時都感到快樂，畢竟，我們常因為某些不幸遭遇或失意，不知不覺陷入哀傷、痛苦和失望。但是，我們也有許多方法可以讓自己坦然面對生活，回歸快樂。

跟寓言故事不同的是，本書中所有的故事都源自真人真事（只有中國老人是我綜合許多有智慧的長者而成的角色）。當然，故事中人物的名字和背景都做了改動，他們最終也各自克服危機，找到了快樂。我希望這些故事能夠激勵您借鑒他們的經驗，找到生命中源源不絕的快樂。

一段車程

這故事要從一個又濕又冷的十月天說起。這天晚上八點鐘，年輕人剛剛結束這星期的第三次加班，開著車在回家的公路上。一整天，天空都陰霾沉重，這會兒，老天終於決定大肆發洩一番——大雨傾盆而下。

收音機裡傳出一個聲音，打斷了他的思緒；電台主持人在問一個很簡單的問題，而這是他從不曾思考過的一個問題。此刻，這問題令他感到困惑。

電台主持人問：「你快樂嗎？」

曾經有人拿這個問題做過全國抽樣調查，結果發現，受調查者中，只有百分之二認為自己是快樂的，而只有少於百分之十的人記得一次(或一剎那)真正快樂的經歷。

年輕人突然聯想到自己的生活——他的生活無可挑剔：他很健康；有一份好工作；收入足夠支付任何賬單，偶爾還可以奢侈一下；家庭很美滿，還有一些親密朋友。可是，他仍然感覺內心空虛，生活毫無夢想可言。他感覺生命中少了些什麼，卻又不知道是什麼。他可以用許多詞來形容他的生活，但絕不是「快樂」。

作家梭羅曾說：「大多數人都在他們寂靜的絕望中生活。」年輕人想，這倒是對自己很恰當的描述。日復一日，重複著大同小異的挫折與壓力，每天都像在戰鬥。年輕人愈來愈清晰地感覺到，自己已經陷入千篇一律、永無盡頭的單調生活中。少年時的希望和夢想到哪兒去了？童年時的歡樂時光到哪兒去了？現在這樣的狀態又究竟始於何時？

有哲學家說，生命就是一場持續不斷的掙扎。但年輕人無法接受這說法，他告訴自己：「生命當然不是這樣的。」他感到困惑、失落，彷彿走進了迷宮，卻不知道自己是怎麼進來的，也不知道出口在哪裡。

就在此時，年輕人的思緒又被打斷了——汽車引擎蓋上突然冒出了煙霧。

「真該死，屋漏偏逢連夜雨！」年輕人嘟噥著把車子停到了路邊。他走出車子，打開引擎蓋，迎面撲來一股蒸騰熱氣，迫使他連退幾步。

他脫下夾克，蓋在頭上以阻擋風雨，然後往前走了將近兩公里才找到一個電話亭。道路救援服務中心的接線生在電話裡告訴他，維修人員將在大約一小時後到達。

他別無他法，只能回車裡等。

忽然，一個聲音在他腦中響起：「這一切都怎麼了？問題到底出在哪裡？」他不知道答案，也不指望得到答案，耳邊只有汽車呼嘯而過的聲音。又濕，又冷，又累，又沮喪，年輕人往回走著；他不知道這件事將是自己的生命轉捩點，也不知道自己正走在一條探索快樂泉源的道路上（但是幾年後，他微笑著贊同了）。

相遇

年輕人走回車旁，注意到有人正彎腰觀察他的車。這好奇的旁觀者是一位身穿白色罩衫、頭戴鮮黃色棒球帽的中國老人。他頭髮花白，神色祥和慈愛。但令年輕人印象特別深刻的是他的眼睛，深邃、暗棕色，似乎在微笑。

老人微笑著對年輕人說：「這暴風雨真是太棒啦，對吧？」

「又濕，又冷，又倒楣。」年輕人喃喃自語。

老人不以為然，繼續說：「你感覺到活力了嗎？還有空氣中那股新鮮的味道？不覺得這很棒嗎？」

「我可不覺得。」年輕人心想著，但沒有說話。他打量老人，卻發現老人身上竟然沒有一滴雨水，他不禁懷疑暴風雨是不是曾經停止過。就在年輕人開口之前，老人又問：「你現在打算怎麼辦？」

「能怎麼辦？他們說修車的人一個小時後才會到，我只有等。」年輕人回答。

「人生真是充滿驚奇，不是嗎？」老人說著，微微一笑，「那，車子到底怎麼了？」

「我也不知道，」年輕人答道，「我才開了一半路程，引擎就開始冒煙，然後就壞了。」

「好吧！我來看看。」老人隨即捲起袖子，把頭探到引擎蓋下檢查。

幾分鐘之後，老人抬起頭，轉身對年輕人說：「別太擔心，這車子沒壞。」

「感謝老天！」年輕人鬆了一口氣。

「你可能要花一萬多塊錢……不過我保證修好。」老人說。

「什麼？你在開玩笑吧！」年輕人叫了起來。

老人把手搭在年輕人的肩上，笑道：「我當然是開玩笑的。」

老人轉身拿出一把鉗子，眼神接觸到年輕人目光時，他停了一下，然後轉向引擎，說道：「這可能永遠不會發生，你知道嗎？」

「什麼？」

「那些困擾你的事。」

「我沒有被什麼事困擾啊！」年輕人說。

「喔……那很好啊！」老人說著的同時，又拿起另一把螺絲起子，繼續在引擎蓋下修車。

「聽起來，你今天好像過得不錯？」年輕人說。

「當然！等你到了我這個年紀，」老人說，「只要還能踩在這片土地上，就是個好日子！」他轉身對年輕人說：「人生太短、太珍貴了，時間浪費不得。你知道人類的平均壽命是多少嗎？七十六歲！也就是三千九百五十二個星期！而其中有一千三百一十七個星期會花在睡覺上，也就是只剩下二千六百三十五個星期可以清醒地活著！你幾歲呢？」

「三十三。」

「所以即使你有幸能活到七十六歲的話，也只剩二千二百四十二個星期了！」

「你倒是很樂觀啊！」年輕人語帶諷刺。

「我只是告訴你時間很珍貴，別花在不快樂上。生命旅程應該是歡樂的，應該像晴天時在田野中散步一樣舒適閒逸，而不是像在永不停歇的暴風雨中痛苦搏鬥。」

年輕人感到背脊發麻，老人怎會知道他的感覺？一定是巧合。年輕人試著說服自己，畢竟，老人不可能看透他的心思。

「我常常覺得很驚訝，為什麼有那麼多人選擇不快樂。」老人說完轉向引擎，繼續修汽車。

年輕人湊過去，問道：「這話什麼意思？人們不會『選擇』不快樂，是否快樂，是由他們的境遇決定的。」

「你說的也對。但如果你的快樂取決於你的境遇，那為什麼有的人經歷相同，感受卻完全不同呢？我認識兩個在同一場車禍中受傷的人，但其中一個很沮喪，另一個卻每天都樂呵呵的。」

「他們的反應為什麼不一樣呢？」年輕人問。

「沮喪的那個人總是問自己：『為什麼這種事會發生在我身上？』另一個人卻說：『感謝老天，我還活著！』這就像一首詩所說的：『酒吧裡的兩個人看著窗外，一個看見塵土，一個看見星光。』我不認為一個人境遇的好壞，是讓人覺得快樂或不快樂的力量，而是你的觀點影響了你的感覺。畢竟，一個看見杯子裡有半杯水的人，和一個看見杯子已經半空的人，哪一個比較快樂呢？哈！我找到了……你可不可以把扳手拿給我？」老人伸出一隻手。

「喔！」年輕人把扳手遞給老人，接著說道，「可是，有些事一定會讓你感到快樂或不快樂。」

老人放下扳手，轉身看著年輕人，問道：「那，什麼會讓你感到快樂呢？」

年輕人想了想說：「我也不太確定，也許更富有就會讓我更快樂吧。」

老人彎下腰，從工具箱裡找出另一件工具，「你真的認為金錢能帶來快樂？」

「我不知道，可是至少能讓你在不幸中感覺比較舒服。」年輕人微笑著說。

「有道理。」老人也露齒而笑，「可是，比較舒服的不幸，還是不幸啊！你所處的環境可能比較舒適，但感覺卻跟一無所有的時候一樣不幸。如果金錢可以帶來快樂，那百萬富翁就是世界上最快樂的人了。但是眾所周知，他們的不幸與沮喪感跟窮人完全一樣。金錢只能買到物品，比如說你的車子，但這只能帶來暫時的滿足，並不能使你的快樂持久。」

年輕人望著馬路上一輛輛飛馳而過的車子，頓時陷入沉思，老人則拿著鉗子繼續修車。

「換一份工作怎樣？」年輕人突然說，「我想，我如果換一份工作的話，可能會快樂一點。」

「你現在有點像個石頭切割工人了。」老人笑著說。

「什麼石頭切割工人？」

「有則故事的內容是說，有一個不快樂的石頭切割工人，他希望能擁有與眾不同的身分和地位。有一天，他路過富有的員外家，看到員外家裡陳設富麗，心想，這員外多麼受人敬重啊！他很羨慕，希望自己也能成為員外，這樣就不用再做一個卑微的石頭切割工人了。

「這時，他竟然真的變成了員外，擁有以前想都想不到的權力和豪華生活，很多窮人也都非常羨慕他。可是，他同時也擁有了敵人。有一天，一個更有權力、更受崇敬的官員經過城裡，官員的車隊被許多僕人和侍衛簇擁著，每個人都向官員跪拜。曾經是石頭切割工人的員外又希望自己能跟這個高官一樣，有眾多的僕人和侍衛保護他的安全，而且比別人更有權力。

「願望又實現了，他馬上變成高官，成為全國最有權力的人，每個人都要向他鞠躬跪拜。可是，這高官也是老百姓最害怕、最討厭的人，所以才需要這麼多侍衛和僕人。坐在馬車裡的他覺得非常悶熱，便抬頭望著天上的太陽，心想：『多麼偉大啊！真希望我就是太陽。』

「馬上，他又如願變成了太陽，高掛天空照耀大地。但是，一大片烏雲飄了過來，遮擋了陽光。他又想：『雲真是太了不起了！真希望我是雲。』結果，他馬上就變成了遮擋陽光的雲。不久，一陣風吹來，雲就散了。他又想，『真希望我能跟風一樣強大。』於是他又變成了風。強大的風可以把樹整棵拔起，也可以摧毀整個村莊，可是怎麼也吹不動大石頭。『石頭真是太堅強了，我多麼希望自己像石頭一樣有力啊！』他想著。

「然後，他變成了可以抵禦狂風的大石頭。現在他終於滿意了，他是世上最有力的東西了。可是他突然聽到一個聲音：『鏗！鏗！鏗！』斧頭敲擊著石頭，一片一片地把石頭劈開。『還有什麼比我更強大有力呢？』他頓生疑問，低頭一看，拿著斧頭的正是……一個石頭切割工人！

「許多人終其一生都在尋找快樂，卻從來不曾找到，原因就在於他們找錯了方向。

如果面對東方，就看不到夕陽；如果遇到困難就慌張，就找不到快樂。石頭切割工人的故事告訴我們，僅僅改變環境是無法讓你找到快樂的，除非，你改變自己。」

「可是我還是不明白，」年輕人說，「人們如果面對悲劇和失望，怎麼還能快樂起來呢？」

「我們就像一艘船，」老人繼續說，「在人生的海洋上航行，狂風暴雨——自然的災難和悲劇——不過是暫時的，只要控制好舵和帆，就可以航行到任何地方，狂風暴雨都阻止不了你。事實上，暴風雨可以使你的人生更豐富。」

「我不太明白。」年輕人說。

「暴風雨會使空氣更清新，並帶來雨水。生命怎麼能沒有雨水呢？沒有雨水就不會有彩虹，萬物將不能生長，生命也不會豐盈。你若知道如何駕駛船隻，就可以利用風的力量使航行更順利。」

「我明白你的比喻，可是我不同意。厄運怎麼可能帶來好處呢？」年輕人說。

「你沒聽說過因禍得福嗎？」

「當然聽說過，但那只不過是句諺語，我從來沒有碰到過這種事情。」

「也許是因為你從來沒去注意。每一件事都是有因、有果的。很多人在人生中飄流，被形勢所困，任暴風雨擺布，是因為他們忘了自己還有舵和帆，也不知要如何利用它們；他們不知道如何駕馭船隻，卻責怪天氣。其實不管環境和形勢如何，他們都可以選擇讓自己快樂。」

「可是，你不可能任意選擇自己的感覺啊！」年輕人堅持。

「只要你相信，感覺就是真實的，你自然會很小心地選擇自己的感覺。」老人說。

「少來了！」年輕人爭辯道，「你能肯定一個人不管遭受什麼困難，都可以選擇快樂？一個或瞎或聾或啞的殘疾人，怎麼可能快樂？」

「你顯然沒遇見過殘疾人士。」老人說，「一個比你不幸的人會比你更快樂，這聽起來有點奇怪，但卻是真的。你知道美國的海倫．凱勒吧！一個終生又瞎又聾又啞的人，別人問她，有這麼多身體缺陷，該怎麼生活下去呢？知道她怎麼回答嗎？」

年輕人聳聳肩。

「她說：『我的人生如此美妙！』而偉大的作家彌爾頓也是個盲人，他說：『當一個盲人並非不幸，不幸的是無法忍受看不見。』同理，財富、健康、名聲和權力並不能保證你會快樂。拿破崙是法蘭西帝國至高無上的皇帝，有人問他是否快樂，他回答說：『我所記得的快樂時光不超過六天。』」

年輕人十分驚訝：「一個殘疾人士如此快樂，而一個擁有財富和權力的人卻不快樂。這是為什麼？」

老人停下修車的工作，轉向年輕人，說道：「快樂是生命中最偉大的禮物，而且人人都有。你找不到快樂？那就去創造它！不管境遇如何，你都能夠創造快樂。」

「怎麼創造呢？」年輕人問。

「宇宙運行是有規律的，萬事萬物皆有規律可循。從日升、日落，到四季更替，都是自然規律使然。科學家也已經發現了地心引力、自由落體和磁性原理等法則。當然，還有一些法則是人們不太熟悉的，其中之一就是快樂的法則。」

「快樂的法則？」年輕人疑惑地問，「那是什麼？」

「是十項永恆不變的法則，遵循這些法則，就可以創造出快樂。許多人在追求財富的過程中放棄了一些原則，也有很多人根本忘了。不過還是有些人相信，相信自己可以找到這些法則的『祕密』。」

「我該怎麼找呢？」年輕人問道。

「等一下……就快好了。好……完成了！跟新的一樣。」老人把手放在衣服上擦拭著，說道，「你很快就會知道。這個……拿著。」他拿出一張紙條遞給年輕人。

年輕人低頭看看紙條，發現上面只寫了一排人名和電話號碼，於是他翻到紙條反面，以為上面會寫些祕密或法則，可是沒有，反面完全空白。

「這是什麼？祕密寫在哪裡？」年輕人抬起頭，老人不見了。「喂！」他叫著，在車子附近走了一圈。「你在哪裡？這只是一張名單啊！」他一邊叫著，一邊在高速公路上來回張望，就是不見老人蹤影。

一輛維修拖車慢慢地靠過來，停在了年輕人的車子前面，年輕人快步上前，打開拖車的門。

「這只是一堆人名，沒有什麼祕密……」年輕人的話音戛然而止，那個維修員並不是中國老人。

「怎麼了？」維修員爬下車來。

「等一下，」年輕人說，「老人呢？」

「什麼老人？你在說什麼？」維修員一臉疑惑，「你打電話說車子壞了，不是嗎？是你吧！」

「對！可是已經有人來過了，並且把它修好了……是那位中國老人……」

「什麼中國老人？我打電話回去問問看，可能有人先來過了。沒什麼，這種事經常發生，服務中心的人很忙，有時候會把一樁故障通知給兩個維修員。」

維修員爬回駕駛座，用無線電接通了服務中心。幾分鐘之後，他又爬出來。「他們說只通知了我，電腦上有記錄。而且，今晚我是這個區裡唯一的值班員。不管怎樣，我先幫你檢查一下。你可以發動車子嗎？」

汽車很快就啟動了，引擎運轉得很順利，維修員伸手示意年輕人可以熄火了。

「一切正常，」他說，「看不出有什麼問題。」

維修員離開之後，年輕人仍然坐在車裡，百思不得其解：老人為什麼突然失蹤了？他到底是誰？從哪裡來的？他說的快樂的祕密又是什麼呢？

過了幾分鐘，年輕人啟動汽車，繼續往家的方向前進。他沒有找到問題的答案，唯一的線索就是手中的紙條，以及上面的十個人名和電話號碼。

祕密1

態度的力量

一回到家，年輕人就拿出老人給他的紙條，開始撥打上面的電話號碼。他聯繫上了六個人，另外四個不在家，不過他都留了話，請他們回電。在打電話過程中，年輕人注意到一件奇怪的事——這些人聽他說到中國老人時，都馬上變得很熱情、很主動。於是年輕人開始安排見面時間。

貝利・凱斯特曼是年輕人聯繫的第一位，他是當地學校的老師，答應在下課後跟年輕人見面。

年輕人走進教室時，凱斯特曼先生正在批改學生作業；他看起來很年輕，年輕人猜他頂多四十歲出頭，甚至可能不到四十歲，年紀絕對不會太大。

「嗨！請進！」凱斯特曼先生熱情地握著年輕人的手說，「見到你真高興，請坐。」

年輕人坐定之後，凱斯特曼先生繼續說：「你昨天遇見中國老人了？」

「是的！他幫我修好了車。」

「我的天！他真是樣樣精通啊！那他跟你提過快樂的祕密了？」凱斯特曼先生說。

「是的！你知道內容嗎？」年輕人問道。

「喔！當然！」

「真的有效嗎？」年輕人又問。

「是的！十五年前，我陷入人生最大的低潮，沒有工作，沒有朋友，獨自住在一間離家鄉五百公里遠的小套房裡；感覺糟糕透頂，幾近崩潰。我好像快被一堆烏雲吞噬，看不到未來。

「有一天，我獨自坐在公園裡的椅子上，眼前是美麗的湖景，心裡卻塞滿了各種爛泥巴似的問題。幾分鐘之後，我突然發現有一位中國老人不知何時坐在我旁邊。」

年輕人想起自己和中國老人相遇的經歷，心裡不禁發涼。

「我可以把你的話記下來嗎？」年輕人問道。

「當然可以。」凱斯特曼先生繼續說道，「當時誰都看得出我心事重重，但我還是很驚訝，這位老人竟然完全知道我的心事，好像可以看透我似的。交談片刻之後，我得知，他正要去拜訪一個心情低落的朋友。他說：『我的朋友其實只是忘了快樂的黃金定律而已。』我當然沒有聽說過什麼快樂的黃金定律，不過他很快又解釋說：『很簡單，只要有決心，你想要多快樂就可以多快樂。』

「我當時並不太明白，後來才發現，他說的果然不假，而且老實說，那些簡單定律是我有生以來學會的最重要課程。其中，對我來說最重要的，就是『態度的力量』。」

年輕人聽得入神。凱斯特曼先生繼續說：「一直以來，我和許多人一樣，認為是某些事情會讓我快樂。事實卻是，我們可以讓自己快樂。記得我曾經看過一場催眠秀，台上的人被催眠後，催眠師給他們一顆生洋蔥，並告訴他們，這顆生洋蔥是他們這輩子吃過最美味的水果。於是這些人開始舔著嘴唇，大口大口地吃洋蔥。接著，催眠師又給了他們一顆桃子，告訴他們，這顆桃子是味道難聞的胡蘿蔔。這些人咬了一口桃子，馬上就吐出來，好像吃了什麼噁心的東西似的。

「這就是他們在催眠狀態下，被要求對洋蔥和桃子採取的『態度』。由此可見，問題的關鍵在於，我們在成長過程中，經常以負面或消極的態度面對事情，而這態度就是造成我們不快樂的原因。」

「負面消極的態度是怎樣的態度？」年輕人問道。

「譬如，我從小被教導要以最壞的打算來面對事情，因為這樣就不會太失望。」

「對啊！我也是被這樣教導的。這說法很有道理，不是嗎？」年輕人附和道。

「大家都這麼認為，不過卻是錯的。」凱斯特曼先生說，「這會摧毀我們的夢想，阻止我們體驗快樂。」

「怎麼會呢？」年輕人說，「如果已經對事情的結果做了最壞打算，最後果真如此的話，你也不會太失望，因為已經有了心理準備；如果結局不是最糟的，你反而會很驚訝。希望愈大，失望愈大啊。」

「這聽起來是很有道理，但如果你總是期待最糟的，就可能總是碰到最糟的結果。我可以證明這一點。現在，你環顧這房間，注意所有棕色的東西。」

年輕人環顧房間：木製畫框、椅子扶手、木質窗櫺、書桌、書，以及其他許多小東西都是棕色的。

「好，」凱斯特曼先生說，「現在閉上眼睛……」

年輕人閉上了雙眼。

「告訴我，你看到的所有……藍色的東西。」

年輕人笑了：「我沒注意到有什麼藍色的東西。」

「張開眼睛，」凱斯特曼先生說，「你看看，其實很多。」

的確，很多藍色的東西，包括：一只藍色的花瓶、藍色相框、藍色地毯，桌上有個藍色的資料夾，書架上也有藍色的書，甚至，凱斯特曼先生穿的也是藍色襯衫。愈注意，就發現愈多物品是藍色的。

「看看這些你沒有注意到的東西！」

「可是你騙我。」年輕人說，「你要我找棕色的東西，而不是藍色的。」

「這就是我要說的重點，」凱斯特曼先生說，「你要找棕色的，所以眼裡只有棕色，而忽略了藍色。人生也是如此，你一直在期待最糟的，所以只看到最糟的，而錯過了那些美好的事物。

「正因為如此，很多富人和名人——那些擁有你所能想到的所有東西的人——還是會沮喪，很多人還迷上了嗑藥或嗜酒；他們專注於自己沒有的事物，而忽略了已經擁有的，所以只看到人生中的貧乏。

「相反，很多人生活條件一般，卻依然十分快樂，那是因為他們看到了自己所擁有的。這也就是為什麼一個看到杯子半滿的人，會比看到杯子已經半空的人來得快樂的原因。

「任何身外之物——金錢、車子、名聲和財產——都跟快樂無關，是對待生活的態度決定了我們快樂與否。所以，我們如果要體驗快樂，無需更多的金錢、更大的房子或更好的工作，只需改變自己的態度即可。英國文學家約翰生博士寫過這麼一段文字：『人的思想源自他的內心，一個對人類內心本性知之甚少的人，最終只會悲傷於自己所失去的。』」

「我從不曾在意過這一點，」年輕人說，「不過，聽起來很有道理。」

「很有趣吧？如果你一直想著最壞的結局，就會把事情往最壞的方向引導。」凱斯特曼先生說。

「真的？」年輕人問。

「嗯，再比如說，你將在上百人的場合發表一場演講，可能會很緊張，還不斷想像著各種最糟的意外情況，譬如，你可能會當場忘了演講詞，可能會緊張得結結巴巴，還可能使上百個聽眾覺得自己看起來像個白癡。如果你一直想著這些，又怎麼準備演講詞呢？你會因此更自信？還是更緊張？」

「當然是更緊張。」年輕人坦承。

「是啊，誰不會呢？人們在生活中常遇到這樣的事。躺在床上的兩個人，一個想著今天將會發生什麼不幸，一個認為今天將會很美好；哪一個比較容易從床上爬起來，面對新的一天？哪一個比較容易享受這新的一天？」

「我明白你的意思了。可是，萬一碰到出乎意料的糟糕局面，該怎麼辦呢？」

「謹記黃金定律：你可以選擇自己的感覺！任何情況下，你都可以選擇注意藍色還是棕色。同樣地，你可以從任何情況中看到好的那一面。」凱斯特曼先生說。

「如果沒有好的那一面呢？」

「當然，當悲劇降臨我們的生活時，可能很難從中找到好的一面。但是，應對悲劇的方法就是去積極面對，在悲傷中尋找意義。這樣的事情很多很多，例如，父母最大的悲劇可能就是失去孩子……唯一能使我們走出悲痛的辦法，就是去做些積極、有意義的事情。

「譬如，在美國加州，有個十三歲女孩在路上被酒醉駕駛撞死了。當這個女孩的母親發現，那個駕駛以前就有酒醉駕車的肇事記錄，卻沒有相關法律可以保障大眾免受這類人的危害時，她就發起成立了一個全國性組織——反酒醉駕車婦女組織。這個組織成功地遊說美國國會通過了一項反酒醉駕車法案，並且很快就被引入加拿大、英國和紐西蘭等國，拯救了上百，甚至上千條人命。這完全是因為一個母親把失去女兒的悲痛，轉化成為更積極正面的行動。

「人生中的每一段經歷，都別有意義，只要我們選擇去尋找，就可以找到。以我為例，當年遇到中國老人之前，我丟了工作，一心以為自己是個失敗者，可能永遠找不到工作。可是和中國老人談過之後，我發現，失業可能給我帶來某種非常正面的價值。」

「失業怎會帶來正面價值呢？」年輕人問道。

「失業給了我一個機會，讓我可以開創新事業。」凱斯特曼先生說，「所以，失業後，與其終日沮喪，還不如以熱誠、樂觀、開朗的態度去面對。請記住：『事件的意義，而非事件本身，可以決定我們對事件的感覺。』

「從這個角度出發，失業意謂著我將有一個新的開始。那是一個人生的轉捩點。當我誠實地面對自己，我承認，自己對工作從不曾熱誠過。而現在，我有機會可以重新思考自己到底想做什麼；我希望能夠做點不一樣的事情，有正面價值，並對社會真正有貢獻。於是我決定當一名老師，便重新回到學校進修。

「再舉一個例子，」凱斯特曼先生說，「想像一下，你跟女朋友分手了，你可以認為這意謂著你是個沒有吸引力、不可愛的人，永遠找不到女朋友，即使遇到別的女孩子，也無法再發展戀愛關係。你也可以認為，這意謂著你有機會找到更好的、更適合自己的人。截然不同的態度，就看你怎麼選擇。

「你可以對生命中任何一段經歷都給予一個正面的意義。有些民族甚至認為死亡是值得慶祝的，因為他們相信，人死後靈魂會回到真正的家，和所有的愛人、家人相聚。」

「可是，要從每件事當中都找出正面意義並不容易啊！」年輕人堅持道。

「如果你不想找，當然不容易！如果你看不到正面的意義，那是因為你根本不想去找。我們也可以用正面的問題來問自己，尋得正面的意義。要問自己：『我可以從這次經歷中吸取什麼教訓？』而不是問：『為什麼這種倒楣的事會發生在我身上？』」

「這樣問就可以了嗎？能不能再說清楚一點？」年輕人說。

「你每天都要問自己問題，關於你的所見、所聞，以及你做過、必須做和將要做的每一件事。從早上起床開始，到晚上就寢為止，你要一直有意識地問自己。思考的過程，不過就是一連串的自問自答。有問題才有答案，不同答案則會帶來不同感覺。因此，如果你覺得不快樂或沮喪，往往意謂著自己問錯了問題。

「大多數人在面對困難時，常常問自己：『我怎麼會碰上這種事？』或『我該怎麼辦？』這些都是消極、沒有建設性的問題，只會帶來消極的答案，而且只會導致自憐自艾、絕望和沮喪的感覺。如果我們用積極的問題來問自己，便能夠由此產生完全不同的感受。」

「什麼樣的問題才是積極的？」年輕人問。

「可以創造力量和希望的問題，譬如，我身陷困境時，會問自己三個有力的問題，而這些問題可以改變我看待事情的角度。第一個問題是：『這件事最棒的部分是什麼？』」

「如果這件事沒有最棒的部分呢？」年輕人打斷他。

「那我就再問：『這件事有什麼意義嗎？』然後，就像你刻意在房間裡找藍色的東西一樣，你會刻意去尋找那件事的意義。凡事都『禍中有福』，你若積極地看待任何遭遇，就能感受到生命的充實。這就是第一個快樂的祕密。

「老人給我一張名單，名單上的人都教了我一些快樂的祕密。他們當中很多人都曾經歷過人生的困境，但他們都走過來了，因為他們學會了如何為每一種情況建構出正面積極的意義。

「第二個問題是：『美中不足的地方在哪裡？』這是假設事情將會很完美，比問自己『哪裡錯了』更能創造出不同的感覺來。第三個問題是：『怎樣讓這件事如我所願，怎麼做會更有趣？』這個問題會讓你找出一些補救的方法，並在過程中獲得樂趣。

「我來舉幾個例子，看看這些問題的效果如何。昨天晚上，你的車子出現故障時，如果你自問：『這件事最棒的部分是什麼？』你可能會想到：『還好我沒有受傷。』『還好救援服務中心會幫我。』或『還好車子不是在荒郊野外故障。』

「然後再問：『還有什麼美中不足的地方？』答案當然是：『我的車壞了。』接著，你再問：『怎樣讓事情如我所願，怎麼做會更有趣？』所以，你在等待救援的時候，可以趁機放鬆一下，看看報紙、看看書，或聽一個以前無暇去聽的廣播節目。你甚至可以順便計畫下一次的旅遊、寫信，或者開始寫那本一直想寫的書，或者你可以躺到後座去，在維修人員到來之前休息片刻。

「再比如說，你因為太胖而心情不好。這也很好！因為你終於確定太胖會讓自己不快樂，並且決定改變這個事實。還有一個好處是，你終於知道減肥的重要了，否則太胖可能導致罹患心臟病。有什麼美中不足之處？你的體重和體型。那麼，該如何改變它呢？去瞭解導致肥胖的原因，並調整飲食結構，開始運動。該如何讓減肥計畫更有趣呢？去參加減肥俱樂部，這樣就可以遇到同道中人，或者參加你喜歡的運動課程，譬如跳舞也可以減肥。還可以吃健康的食物，或去學習烹煮健康、低熱量的食物。」

「真有趣。」年輕人說，「所以，期待最好的事物、留意生活中的美好，以及問一些積極的問題，就可以藉此改變自己的態度了。」

「沒錯！」凱斯特曼先生說，「創造健康、快樂的生活態度，可以用一個詞來概括——感激！簡而言之，快樂的祕密就是要培養感激的態度。」

「你是怎麼做到的？」

「尋找事物中值得感激的部分，」凱斯特曼回答，「每天問自己：『有什麼事值得我感激？』」

「如果沒有什麼值得感激的呢？」年輕人固執地問。

凱斯特曼先生揚眉看向年輕人，說道：「幾年前，我去拜訪一個罹患了絕症的朋友，醫生說他活不過一年，我以為他會很沮喪，結果發現他竟然很開朗、很愉快。」

「真奇怪，一個活不過一年的人怎麼愉快得起來呢？」年輕人不解。

「我也是這樣問他的：『吉姆，你為什麼這麼快樂呢？』他說：『因為我今天早上醒來時，發現自己還活著！』我聽了之後，感覺很慚愧。一個將死的人尚且能夠充滿感激之情，我們這些健康的人為什麼反而不能？」凱斯特曼先生繼續說，「不管情況有多糟，總有一些事——通常會有很多——值得我們感激。一個活在快樂世界裡的人，和一個活在悲慘世界中的人，區別不在於他們所處的環境，而在於他們的態度。態度就像一枝心的彩筆，我們可以自己描繪生活的顏色，任何我們喜歡的顏色。」

在回家的路上，年輕人心想，今天所學到的東西，對於改善他的生活，的確很有幫助，更重要的是，他終於明白自己為什麼總是不快樂了。

這天晚上，年輕人拿出筆記，對當天的筆記做了一次復習：

態度的力量

- ♣我的快樂源自我對生活的態度。
- ♣我想多快樂，就可以多快樂；從今天起，我選擇快快樂樂地生活。
- ♣我如果期待最好的，就會得到最好的！
- ♣快樂是一種選擇，無論何時、何地、何事，我都可以選擇快樂。
- ♣任何經歷都帶有正面積極的意義。從現在起，我將能從每件事、每個人身上尋得快樂。
- ♣遇到困難或壓力時，問自己三個有力的問題：
  1. 這件事有什麼最棒的地方？
  2. 還有什麼美中不足的？

3.我該如何補救這個狀況，並在其中尋找樂趣？

♣感激是快樂的種子，我的心從此將充滿感激。

♣我是否快樂決定於自己的態度，而非所處的環境。我可以把握自己的態度，從而把握快樂。

祕密2
當下的力量

「這件事發生在廿年前。當時我工作不順，家庭也有問題。某天下午四點左右，我走在市中心的街道上，想去拜訪一個客戶。突然，我聽見汽車長鳴的喇叭聲和一個女人的尖叫聲，抬頭就看見一輛車正直直對著我衝過來。

「彷彿慢鏡頭似的，我呆站在那兒，充滿恐懼地望著迎面衝過來的車，腦子裡快速閃過的念頭是——完了！我死定了！就在這千鈞一髮之際，突然有人抓住我，猛地往後一拉。說真的，就差一點點了，我甚至能感覺到車子擦過我的外套。差一釐米我就被撞到了，那必死無疑。我轉過身，驚魂未定地看著救命恩人——竟然是個矮小的中國老人！」

湯尼．布朗四十來歲，是位專業攝影師，作品常見諸全國性報紙和雜誌。在位於市中心的工作室裡，年輕人和他見了面。

「我被那意外嚇呆了，全身發抖地癱坐在路旁的椅子上。」布朗先生繼續說，「中國老人也走過來坐在我身旁，關心地問我有沒有事，我說還好。『好險！』他說。我說：『我知道，謝謝你救了我一命！』我解釋說自己在過馬路時有點心不在焉，然後他說：『在我國家有一個說法：安身立命，活在當下！』」

「我們聊了一會，離開之前，他給了我一張小紙條……」

「上面寫了十個人名和電話號碼？」年輕人接著說。

「是的。」布朗先生微笑著說，「我因此學到了快樂的祕密。」

「他們是如何幫助你的？」年輕人問。

「他們教我如何找到快樂，其中有一項祕密使我獲益良多，就是『當下的力量』。」

「僅僅『當下』這麼一剎那，就包含了快樂的祕密？」年輕人問。

「涵意不在於一剎那，而在於『活在那一剎那』。」布朗先生說，「快樂不是花幾年、幾個月、幾個星期或是幾天就能找到的，而是就在當下。」

「這是什麼意思？」年輕人還是不明白，「你的意思難道是說，快樂不會超過一分鐘？」

「當然不是。我的意思是說，你只能在當下體驗快樂。看那些照片，」布朗先生指著牆上的照片說，「你看見了什麼？」

年輕人抬起頭，仔細端詳牆上的照片：母親餵哺嬰兒、一對父子笑著在玩球、兩個老人相擁、兩個朋友在機場淚別，還有一群孩子在學校操場玩耍。每一張照片都捕捉到一種神情。

年輕人一一看完照片之後，說道：「嗯，這些人物的感受和情緒都很有張力，每一張都很不錯。」

「謝謝！」布朗先生說，「這些都是我嘗試去捕捉的情緒。照片的美麗之處在於，它記錄剎那間——一個無法重複的時間——在那一刻我們所體驗到的情緒。你有沒有仔細思考過人們如何衡量價值？譬如電視機、電腦、汽車、金錢、衣服、珠寶……所有的東西都可以被輕易地複製。生命中的時間是永遠無法複製的，但我們卻認為它沒什麼價值。時間是我們最寶貴的資產，我們卻總是浪費時間。我們把時間浪費在回想過去、擔心未來。事實上，現在——此時此刻——才是我們擁有的，也是我們僅有的。」

「我好像還是有些不明白。」年輕人說。

「當你回首過去，」布朗先生解釋道，「想起過去的快樂時光，腦海中出現的是什麼？」

「嗯……我想想。」年輕人說著，然後看向遠方。

他想到自己五歲生日那一天，那時父親還活著，他們全家在海邊度假，還有大學畢業的時候……

「你如何記住那些時光？」布朗先生補充道，「你是用年、月、日……還是時刻去記憶？」

「我不確定。」年輕人猶豫地說。

「好，回憶一個特別的快樂時光。」

「嗯，我的五歲生日聚會。」

「你真正感到快樂的時刻呢？」

「我記得聚會開始之前，母親抱著我，喃喃地說：『你是我的小寶貝，我愛你！』

有時候，當我閉上眼睛，還依稀聽見她在我耳邊這麼說。」

「很好！」布朗先生對年輕人的描述很滿意，他說，「這就是一個時刻！每個孩子都曾有過這種快樂的時刻。想像一下，如果你那時心裡想著學校的功課，可能就聽不到你母親對你說的話，也根本感覺不到快樂。而你的母親也可能因為你的反應，失去了快樂的感覺。」

「我明白了。」年輕人說。

「我們的記憶是一個個時間片段——一些我們看見、聽見或感覺到的時刻。我們不記得一整年、幾個月，甚至幾天裡發生的每一件事，而某個時刻、某一剎那卻會留在我們的腦海中。只有快樂地度過每個時刻，我們才能快樂地生活。如果有某個時刻是特別的、神奇的，我們的生活也會因此變得特別而神奇。秘訣就是，盡可能去收集更多那樣的時刻。時間是不會停留，也不會重複的，你應當把每一個時刻都好好地過，好好地體會。永遠記住，這一刻可能不是你所渴望的，卻是你所能擁有的。」

年輕人想起了凱斯特曼先生對他說過的一則故事，一個走到生命末期的絕症病人，卻還能天天快樂，因為他感謝活著的每一天。年輕人想，那位病人一定知道活在當下的祕密，才能夠每一天、每一刻都活在快樂而非病痛中。

布朗先生繼續說道：「一天天地過，日子可能不好過，可是一分一秒地過，日子就能輕鬆度過。當我們把每件事都分割成許多小段，所有的事情都會變得很容易。如果你真正地活在當下，你就沒有時間後悔，沒有時間擔憂，只會專注於眼前。」

年輕人還是有些疑惑，「你如何保證每一刻都是快樂的呢？」他問。

「你要自己去體會這一點。」布朗先生回答，「詩人但丁說過：『想想吧！今天的黎明不會再回來！』如果你不知道有人給了你一個蘋果，你就不會去拿。就像一個排名頂尖的網球選手在一場重大比賽中，首先面對一個無名的選手時，心裡卻想著最後將會遇上的勁敵，結果，一失手就輸了一分。他心裡記掛上一個失分，無法專注地打下一球，於是，他又失誤了。他為前兩次失誤感到懊惱，並開始擔心：『萬一輸掉了這一局怎麼辦？』結果不用說，擔心尚未發生的事令他心神不寧，無法專注於眼前的戰局，結果，他又失掉一分。在他察覺到這種情形前，比賽已經結束，他輸了這一局。

「我們也會遇到同樣的情況。我們思索過去，擔心未來，結果是：我們永遠無法專注於現在。這是個惡性循環，如果我們不能活在當下，我們就無法贏得人生這場遊戲，於是，我們會一直為已經做過的事感到後悔，為尚未發生的事感到擔憂。」

年輕人從筆記本上抬起頭。顯然，他從來沒有用這種方式思考過時間的重要性。

「我們如果希望快樂，」布朗先生繼續說，「就必須學會感激我們所擁有的——此時此刻所擁有的。今天的抉擇意謂著明天的事實，我們必須學會把握眼前，而當它們走時，就該放手。就像蘇格蘭的散文家、歷史學家湯瑪斯．卡萊爾所寫的：『我們該做的，不是看著遠在天邊的東西，而是著眼於手上的事物。』如果把焦點放在未來，我們可能會變得患得患失，整天擔憂那些還沒有發生，甚至可能永遠不會發生的事。

「法國的散文哲學家蒙田也曾經寫道：『我的人生充滿了可怕的不幸……然而，大部分從未發生。』這就是為什麼有那麼多人背負著沉重的壓力和擔憂的原因，因為他們沒有今天，而是永遠處在昨天，永遠擔憂明天！活在當下的人是沒有時間悔恨過去和擔心未來的，他們只專注於眼前的事情。

「所以，活在當下——只專注於現在這一刻，是克服憂慮和恐懼的最好方法。很多宗教都傳播這種思想。你知道基督徒怎麼禱告嗎？他們會說：『感謝主賜給我今天的麵包和食物。』注意喔！不是明天的麵包或下個星期的麵包，而是今天的麵包。想要擺脫悲傷的生活，方法就是只過好今天的生活，如果這樣的思維可以讓我們度過最艱苦的時刻，那麼將來只會更好。你一定聽說過這句話：『每一天都是新的開始！』我在生活中一直謹守這樣的態度。」

布朗先生接著從牆上取下一塊畫板，說：「我每天讀一次，以提醒自己時時刻刻活在當下。它讓我盡可能過好每一天，這樣，我的人生就很完美了。」

布朗先生遞給年輕人的畫板上，有一篇印度詩人卡利達撒所寫的短詩：

向黎明問好！
看看這一天！
這就是生活，純粹的生活。
在生活這堂課裡，
你眞眞切切地感受到充滿成長的喜悅、生命的榮光和美麗的色彩。
因爲昨天終究是場夢，而明天不過是想像；

但是，華麗的今天讓每個昨天都成爲一場快樂的美夢，讓每個明天都成爲希望的想像。

所以，向黎明問好吧！

因爲每個黎明都將帶來美妙的一天。

布朗先生說，「從今天起，把你的心思放在眼前，不要放在你已經做了，或將要做的事情上。」

「我想我明白了，」年輕人說，「可是，難道我們都不需要考慮未來嗎？」

「只有活在當下，才有可能創造出自己想要的未來。每個時刻都提供給我們許多選擇，而這些選擇形成了我們的未來。具體地說，思想是行為的種子，行為養成了習慣，習慣形成了性格，而性格決定了未來。

「我們在每一個時刻所選擇的思想，將決定我們下一步的方向。所以我說，我們在每一刻所做的抉擇和行為會創造我們的未來。當你和人們交談，很快就會發現，大多數人經常是活在過去或未來，活在另一個時段的另一個地方。我就曾經如此，經常想著其他時候的其他事情，最終差點兒因此喪命。」

「但是，你的意思該不是建議人們不必事先計畫吧？」年輕人又問。

「當然不是。計畫是我們開展所有行動的先決條件。但是，當你做這件事時，別去計畫另一件事；當你在計畫這件事時，也不要去做別的事。不管你正在想或做什麼，都要專注，要心無旁騖。你和別人談話，就一心一意地談話；你工作的時候，就專心工作，別犯跟我同樣的錯誤！」

「什麼錯？」

「當你過馬路時，注意過往車輛！活在當下可以減少你的緊張和憂慮感，讓你的工作表現更出色，增進你的人際關係，讓你的生命變得更充實。這就是當下的力量。」

這次會面之後，年輕人開始努力讓自己全神貫注於正在做的事。讓腦子始終專注於某件事並不容易，但是他漸漸能夠做到了。面對一桌子待處理的公文，他不再六神無主；他專心致志、有條不紊，一次只處理一件公文，第一件處理完再處理第二件。

於是，進入公司三年來，第一次，在下班前他的「待辦」籃子空了。他和同事談話的時候也全心全意，結果讓他非常意外，一個同事對他說：「謝謝你聽我說話，你真的幫了我很多忙。」此時，年輕人真的感到快樂無比。

下班之後，年輕人用過晚餐，舒舒服服地坐在客廳沙發上，拿出筆記本，把和布朗先生談話的記錄復習一遍：

當下的力量

- 快樂不是需要花幾天、幾個星期、幾個月，甚至幾年才能找到的，快樂就存在於「當下」。
- 想過一個完美的人生，只要好好度過每一刻就行了。
- 回憶是由許多特別的時刻所組成的——盡可能去收集更多的特別時刻。
- 活在當下可以讓你避免悔恨，克服焦慮，減低壓力。
- 記住！每一天都是新的開始，新的生活。

秘密3

想像的力量

年輕人過了許久才有機會見到名單上的下一個人：露絲．摩斯。她解釋說，她將出城去為她的考古學課程進行田野調查，但是，她很樂意回來之後馬上與他見面。

在露絲．摩斯的公寓，他見到了一位稍微年長、穿著粉紅色襯衫和藍牛仔布工作服的女士。

「嗨！」他說，「我找露絲．摩斯。」

「你好！」這位女士微笑著說，「請進來。」

她領著年輕人進入大廳。

「別客氣，把這裡當成是你自己的家。」她說，「水剛剛燒好，你要不要來點茶？我有伯爵茶、不含咖啡因的咖啡和一些加味的水果茶，有甘菊、薄荷和柳橙口味。」

「薄荷茶好了，謝謝你！」年輕人回答道。

幾分鐘後，這位女士捧著一壺開水、兩個杯子、一小瓶蜂蜜和一碟自製小餅乾進來。她坐在年輕人面前，把茶倒進杯中。

她說：「我很高興接到你的電話，能不能再對我說說你和中國老人相遇的經歷？」

年輕人一臉疑惑地說：「對不起！……妳……妳就是露絲．摩斯女士？」

「當然！」她笑著說，「不然你以為是誰？」

「嗯……我不知道……可是，我記得妳在電話裡面說，妳是個學生，不是嗎？」

「是啊！我最近正在修讀考古學學位。老天保佑！明年我就是個碩士了！你要不要在茶裡面加點蜂蜜？」

「喔！不了，謝謝。」

她把茶杯遞給年輕人，並往他的盤子裡添了幾塊餅乾。

「你不是在開玩笑吧？」年輕人說。

「開什麼玩笑？」

「你真是個研究生？」年輕人難以置信地說。

摩斯太太微笑：「是的，我當然是。」

「喔……嗯，對不起，」年輕人努力掩飾自己的驚訝，他說，「我以為你是個年輕的學生。」

「我是個年輕的學生啊！」摩斯太太笑著堅持道，「確切地說，是八十二歲的年輕學生。」

年輕人笑了，「八十二歲的確年輕。」他說。

「我能幫你什麼忙呢？」摩斯太太問道。

年輕人敘述了自己和中國老人相遇的經歷。

「你看這個。」摩斯太太遞給年輕人一張照片。

年輕人端詳這張黑白照片，裡面是一個老女人拄著拐杖，他問：「這是誰？你媽媽？」

「不是，那是我。或者說，是二十年前的我。」

年輕人再把照片拿近一點，仔細地看，發現照片中的人在臉型、髮色和嘴型上，的確有一點像坐在他面前的這位摩斯太太。

「你看起來比照片中年輕多了。天啊！發生了什麼事？你是如何做到的？」

「我遇見了一個改變我一生的人……一位中國老人！大概在二十年前吧，我剛退休不久，生平第一次感覺自己老了。晚上很難睡著，白天又容易疲倦。我的注意力和記憶力開始下降，四肢也感覺僵硬而沉重。你可以想像，當時我有多糟糕。後來有一天，一切都變了。那天我正在等公共汽車，旁邊站著一個背著登山背包的中國老人。

「他對我微笑，我也報之以微笑，然後，我們就攀談起來。他說他正在環遊世界。我簡直不敢相信，像他這種年紀，怎麼可能還背著背包去環遊世界？我提出質疑，他卻笑答：『我們只不過跟自己想像的一樣老罷了。』我們開始談起六十歲以後的事情，我在這種年紀只看到問題和困難重重，他卻能看到機會和新奇事物。『一個充滿經驗和智慧的年齡。』他說。然後，他問了一些我以前從未想過的問題：你的生命為什麼會因為活得夠久而開始走下坡呢？他說：『生活應該愈過愈好才對，因為你已經練習了這麼多年。』

「跟中國老人談話後，我體會到：『人老心不老！』讓人老去的原因，不在於年紀，而在於內心。我跟他相談甚歡，結果至少錯過了四輛公共汽車。我成了快樂的祕密的俘虜——一些適合任何人、任何年齡、任何膚色的祕密——可以為你的生命創造快樂的祕密。就好像新生一樣，一切都從黑白變成了鮮豔、美麗而明亮的色彩。但是，當然啦，事實上除了我自己，什麼也沒有改變。而這些祕密當中，對我來說最有價值的祕密，就是想像的力量！」

「想像？」年輕人疑惑地重複。

「是的，即你如何看待你自己，你對自己持有什麼信念。這世上為什麼會有這麼多人不快樂？原因就是，他們在內心深處並不喜歡自己。許多人的成長過程經常伴隨著某些觀念，有些是關於身體的，譬如『我的鼻子太大』、『我長得太醜』、『我看起來太幼稚』或『我看起來太老氣』；有些是心理方面的，譬如『我不像別人那麼聰明』；也有人相信自己有某種性格上的缺陷，譬如『我沒有幽默感』或『我讓人覺得無趣』。不管是什麼理由，如果對自己不滿意，又如何能過著滿意快樂的生活呢？」

年輕人馬上想到自己的那些觀念，簡直數不勝數。「這些觀念是怎麼產生的呢？」他問。

「來自我們的生活，通常是童年的經歷。記得有一個人曾對我說：『我天生有我父親的說話方式、我父親的模樣、我父親的觀念……而我母親非常蔑視我父親！』」

「我們對自己的印象首先來自孩童時期，那時期，我們不知道自己是誰？是什麼？應該成為什麼？但是，我們身邊那些比較年長、有智慧的人，會給予回答。

「舉個例子：小吉米從學校帶回一張表現不佳的成績單，上面沒有甲也沒有乙，只有丙和丁。於是他就想：『我的成績為什麼這麼不好呢？可能是因為我看了太多電視，或是不夠努力用功、太笨、太懶惰了。』父親看過小吉米的成績單之後，便對他說：『顯然——你還算誠實。』可是他看了老師的評語之後，生氣了。他說：『吉米，你的問題就是，不愛用功，又懶又笨！』

「吉米從此真的以為自己又懶又笨，並且帶著這樣的想法終其一生。每次遇到挑戰，他會對自己說：『我又笨又懶惰，我做不到。』所以他避開任何挑戰，自認矮人一截，瞧不起自己。」

「我們該如何糾正這種負面的觀念或想法呢？」年輕人問。

「問得好。首先，我們必須問自己一個最重要的問題：『我是誰？』或『我是什麼樣的人？』」

「為什麼這樣問呢？」

「因為這個問題的答案，可以讓我們意識到自己是個多麼特別的人。譬如說，在你父親和母親相遇並結婚之後，生下你的機率不到三十億分之一！他們有三十億個機會生下跟你完全不同的人，結果卻生下了你！不只這樣，全世界，包括人類歷史上，也不會有跟你一模一樣的人，將來也不可能會有人跟你一模一樣。

「第二個要問的問題是：『我認為自己是什麼？』」

「譬如『我是醜的』或『我是笨的』？」年輕人打斷她。

「是的。然後再思考：『我怎麼知道這個判斷是對的？』是因為有人這麼說或做過嗎？還是你自己知道這是真的？大多數時候，我們以別人的說法來建構對自己的認知。別人就像是我們『心裡的鏡子』。來，我讓你看一樣東西。」

摩斯太太從抽屜中拿出幾面鏡子，她把每面鏡子都舉起來，讓年輕人可以看到自己。這些鏡子裡的鏡像都是扭曲不平滑的；鏡中，年輕人一會兒腦袋變得很長，一會兒耳朵看起來像對翅膀，一會兒又變成了全世界最肥的人。他看著鏡子，忍不住笑了起來。

「哪一個像你？」摩斯太太問。

「都不像。」年輕人說。

「你怎麼知道？」

「因為這些都是哈哈鏡，照不出真實的模樣。」

「可是，如果你從來沒有看到過真正的自己，該怎麼辦？你可能會被這些哈哈鏡嚇倒了。還好，你知道自己的真正模樣，因為你從正常的鏡子裡看到過。可是，你什麼時候從正常的鏡子裡看到過自己內心的模樣呢？我們可以從鏡子中看到自己的外表，卻沒有辦法看到內心的長相。

「於是，我們從別人的反應來看自己的內心。如果別人說你是自私的，你就可能相信自己是自私的。同理，如果有人說你是愚蠢的，你也可能相信。別人就是你的鏡子，但卻是一面不平滑的鏡子——他們的偏見會讓你的形象產生扭曲。

「我們可能犯的最大錯誤，就是去依賴並相信別人對你的評斷。當父母或老師說一個小孩子：『你真頑皮』、『你真自私』、『你真懶惰』或『你真愚蠢』時，他們便對孩子創造了一個負面的——也是錯誤的——自我想像。雖然這孩子可能真的說了或做了什麼頑皮、自私、懶惰或愚蠢的事，但這是孩子的行為，不是孩子本身。這之間的區別可能很小，但卻非常重要。『你是一個淘氣的女孩』和『把果汁倒在地毯上是淘氣的』這兩種說法完全不同。」

「可是，其實不就是一回事嗎？」年輕人說。

「你有沒有做過錯事或後悔的事？有沒有犯過愚蠢的錯誤或做出過不明智的選擇？」

年輕人點點頭說：「不是每個人都會嗎？」

「對。但是做了一件蠢事並不等於你是個蠢人啊！」

「喔！我明白了。」年輕人說。

「很多人把行為和個人混為一談，這就使我們對自己建構了許多不必要的負面看法，這些看法甚至從此跟隨我們一生。」

年輕人迅速記下一些重點，並且說道：「我明白我們是如何在自己身上建構錯誤的負面觀念了。可是，一旦形成這些觀念，該如何擺脫呢？」

「首先要確認這些觀念的來源，」摩斯太太說，「有時候只要察覺到問題之所在，就可以解決問題。然而，有些想法已經在心裡根深柢固，要將之連根拔除的話，僅僅察覺到問題本身是不夠的。這時就可使用另一個解決方法——『正面的提示』。」

「怎樣的提示？」年輕人問。

「就是對自己說的一段聲明，可以大聲唸出來，或在心裡默讀。譬如：我是一個可愛、聰明而且特別的人。」

「這樣說有什麼幫助呢？」

「如果我們經常聽到什麼說法，」摩斯太太說，「聽的次數多了，我們就會相信。這通常是我們信念的緣起——就像小孩一樣，一遍又一遍聽同一件事，最後就學會了。廣告人經常使用這種技巧。他們想出一句簡短的口號，然後在電視上一次又一次地播放，漸漸地，我們就相信它了。

「想要把握你的人生，就必須先把握你的信念。方法之一就是使用這種提示。」

「我要重複多少遍這種正面的提示才會開始相信？」年輕人問道。

「這要依你負面觀念的強弱來決定重複的次數。當然，認真地唸出這個提示，好像你真的相信一樣，會比你只是隨口唸唸要有效得多。我建議你一天至少唸三次——早上、中午和晚上各一次。你也可以把它寫在一張小卡片上，隨時隨地讀它。

「另一個可以幫你改變自我想像的技巧，就是表現出與你的觀念相反的行為。譬如，如果你認為自己沒有吸引力，那就表現得好像自己很有吸引力；或者如果你缺乏自信，那就表現出好像很有信心的樣子。」

「是不是假裝出某種你缺乏的特質？」年輕人說。

「對！但是當你表現得好像很有吸引力、有自信而且快樂的時候，奇蹟就發生了……你會真的感覺自己有吸引力、有自信而且快樂。舉例來說，假想有一個自認為沒有吸引力的女孩跟朋友們去跳舞，她整晚都站在沒人注意的角落裡，結果始終沒有人來邀請她跳舞，這一點都不奇怪，對吧？

「但是，那個女孩如果想表現出很有魅力的樣子，她可能會穿上更有誘惑力的服裝，並可能會找更多機會與人攀談，可能會更放鬆，也更快樂，自然而然，她對別人來說，就有魅力多了。

「或者你可以想像一個將要發表演說的人，非常緊張，緊張得膝蓋都在發顫。如果這人一直感到緊張，可能就會臨陣退縮。但是，他知道自己必須完成這件事，所以，他刻意表現出很有信心的樣子。他以自信的語調做了簡短的開場白之後，觀眾鼓掌了，他也開始真的感到信心十足。

「同理，有時候我們並不快樂，但如果我們表現出很快樂的樣子，並且見人就微笑，通常人們也會回你一個微笑，而這會讓你真的快樂起來。另一個增進自我想像的方法，就是在自己身上尋找長處。」

「聽起來不錯，可是實際做起來容易嗎？」年輕人邊說著，邊從筆記本上抬起頭來。

「非常容易，」摩斯太太說，「你只需問自己：『我喜歡自己哪一點？』或『我擅長什麼？』」

「可是答案很可能會是『很少』或『完全沒有』。」年輕人說。

「人類腦子的最精妙之處在於，永遠可以為任何問題找出至少一個答案。大多數時候，我們會問自己負面的問題——『我為什麼沒有吸引力？』『我為什麼這麼愚蠢？』『我為什麼找不到工作？』你的腦子一定可以找出答案——『因為你的鼻子很大。』『因為你生來腦袋就比別人小。』『因為你不善於跟別人溝通。』什麼稀奇古怪的回答都有，但是，你一定找得到答案！

「當我們問自己正面的問題時，通常可以得到正面的答案。如果你實在想不出自己有什麼地方值得喜歡，可以把問題改成：『如果我有一點喜歡自己的話，那會是什麼？』這個問題會引導出一個正面的答案。其他可以改變我們自我感覺的聰明問題，還包括了：『我有什麼實力？』『我擅長什麼？』『我可以在哪些方面做出貢獻？』

「正面提示自己、裝得若有其事，以及對自己提出正面的問題，都不難辦到，也是改變自我感覺的有效方法。而下一步就是必須停止接受別人對於我們的錯誤反應。」摩斯太太繼續解釋，「一定要記住，別人是我們的鏡子，但卻是有偏見和不平滑的鏡子。

「記住這一點：批評很容易，既不需要天分、不需要思考，也不需要人格。只有上帝能創造出一朵花，可是任何愚蠢的孩子都可以把它剝成碎片！當人們做出粗暴或魯莽的舉動，當他們說出殘忍而愚蠢的話時，通常都是因為他們自己的靈魂出了問題，而不是你的問題。因此，不要聽信別人對你的評斷——除非他的評斷是正面積極的。

「如果我聽信別人的話，你想，我還可能在這種年紀進大學念書嗎？如果我接受別人的評斷，你想，我能以六十五歲的高齡去學滑雪嗎？或在六十八歲時去學畫畫？如果我聽信別人之言，我可能要麼已經死去，要麼就活在過去的回憶中。

「人們說我在這種年紀還去學習是愚蠢的，許多人甚至覺得我有點瘋瘋癲癲。或許是吧！可是，我活得可快樂呢！有篇文章說，人生中最棒的事，就是瞭解自己，因為只有到那種境界，你才可能真正超越別人加諸於你的評斷與限制；依自己的意願去生活，那是真正的快樂和自由。」

年輕人感到無比振奮，他說：「聽起來簡單，卻很有道理。可是……這些真的有效嗎？」

摩斯太太微笑著對年輕人說：「只有一個方法能知道是否有效——去試試看！」

這天晚上入睡前，年輕人把當天的談話記錄拿出來復習：

想像的力量

♣「人老心不老！」認為自己行，自己就一定行。如果對自己不滿意，你就將終生不快樂。因此，如果要一生都快樂，必須先對自己感到滿意。

- 每個人都是獨特的。每個人都是勝利者，因為他們是在三十億分之一的機率下出世的。
- 別人是我們的鏡子，但他們是扭曲的鏡子。
- 要糾正自己錯誤和負面的觀念，並創造出正面積極的自我想像。必須找到這些錯誤觀念的來源，確認它們是否真實。（如果當真，就想辦法改變。）
- 每天都對自己說出「正面的提示」，說出自己希望擁有的特質。
- 表現出自己希望擁有的特質。
- 問自己喜歡自己的哪一點，或自己擅長什麼。

祕密4
身體的力量

名單上的第四個人，叫做羅德尼．格林威。他是個知名的健康顧問，不只創辦了一家有名的健康俱樂部，還出版過好幾本關於健康的國際暢銷書。

早上八點鐘，年輕人在約定的時間抵達格林威先生的健康俱樂部，並在門口遇見一個身材高大、肌肉發達、穿著白色圓領衫和藍色牛仔褲的男人，這個人就是格林威先生；他膚色黝黑，深褐色的頭髮修剪得很短，淺綠色的眼珠在微笑時，閃爍著光芒。

格林威先生帶領年輕人進入辦公室，兩人坐下之後，格林威先生開口問道：「你要不要吃什麼或喝點什麼？我們有新鮮果汁、礦泉水、青草茶……」

「果汁好了，謝謝！」年輕人回答。

格林威先生倒了兩杯新鮮蘋果汁，遞了一杯給年輕人。

「我能幫你什麼嗎？」他說。

「我也說不清楚。」年輕人接著開始簡短地敘述與中國老人相遇的故事。

「快樂的祕密！」格林威先生說，「我是在十年前學到的，那時我還是個律師。」

「律師？」年輕人驚叫起來，「你是說，你放棄律師的工作，變成了一個健康顧問？」

「沒錯。」

「為什麼呢？你竟然放棄自己學了許多年的專長，而那樣的職業又是人人羨慕的，還可以讓你生活無憂。」

「很簡單，」格林威先生說，「我不快樂。在學生時代，我根本不確定自己該從事哪個行業，而法律看起來是個還不錯的選擇。如果考取了律師資格，即使我不喜歡，但那樣的資格是個很棒的踏腳石，可以讓我輕鬆地跨入別的行業。」

「可是，絕不是跨入健康顧問這一行吧？」

「喔！那當然。我成為一個健康顧問是因為我喜歡。我曾經做了幾年律師工作，可是我的心不在那兒，我變得愈來愈容易疲倦、沮喪，甚至每天早上愈來愈難從床上爬起來。」

「我很明白那種感覺。」年輕人說。

「有一天，我正在辦公室加班，有個清潔人員走了進來，他看得出我不太對勁，因為我把頭埋在手裡，還不停地揉著眼睛。他問我怎麼了，我告訴他我還好，只是情緒有點兒低落。他就問我要不要來點『興奮』的感覺，我說：『喔不！謝謝！我不嗑藥。』結果他說：『誰說要給你藥吃啊？』我就很不解了，除了迷幻藥之外，還有什麼可以讓人感覺『興奮』？」

年輕人聽著格林威先生敘述自己的故事，便從口袋裡掏出筆和記事本，開始做筆記。

「結果你知道那個清潔人員說什麼嗎？他說：『運動！』」

「運動？」年輕人抬起頭重複道。

「對！就是簡單的身體運動。」

「天底下哪有什麼運動可以讓人『興奮』？」年輕人半開玩笑地說道。

「運動不只有利於身體健康，同時也可以長期維持生理和情緒的健康。你一定聽別人說過，沮喪的時候最好找一點別的事來做，最好是體力勞動。這真是個不錯的建議，而我則利用GOYB。」

「GOYB是什麼？」年輕人問道。

「就是『Get Off Your Backsid』——抬起你的屁股！」

年輕人笑著記了下來。

「為什麼說這建議不錯呢？因為它真的有用。就像愛爾蘭戲劇家蕭伯納說的：『你想要過得悲慘一點嗎？秘訣就是，沒事時想想你是否快樂。』別花時間胡思亂想，站起來就是了。站起來做點什麼事，不只可以讓我們的心思遠離問題，還可以緩和情緒，緩解問題帶給我們的壓力。」

「運動怎麼可能改變我們的感覺？」年輕人不太相信。

「我今天就是要告訴你一件很重要的事：行動影響情緒！」

年輕人低頭記錄。

「當我們移動身體時，我們也改變了情緒狀態。眾所周知，一個人如果不運動的話，漸漸地，會導致肌肉萎縮、骨骼缺鈣、身體虛弱，而且比定期運動的人更短命。但是，可能很少人知道，不愛運動的人會慢慢變得自閉、緊張和神經質，而且更容易受到壓力、焦慮和疲倦的折磨。」

「何以見得？」年輕人問道。

「科學家發現，運動會讓人的大腦釋放出某種化學物質和荷爾蒙——安多酚——而這會使人感到精力充沛，或者像我們說的『興奮』。」

「你的意思是，定期的運動會讓我們感覺更快樂一些？」年輕人說。

「對！」格林威先生點頭。

「怎樣的運動呢？」

「有氧運動。我並不是說你得馬上去上有氧健身課。」格林威先生說，「『有氧運動』的字面意思是『吸入氧氣的運動』，所以不管什麼運動，只要你在活動的時候會吸入氧氣，譬如游泳、騎自行車、慢跑，甚至跳舞都是有氧運動。另一方面，無氧運動就是指在運動時沒有用到氧氣，那些活動是在屏息的狀態下進行的，譬如短跑或舉重，對情緒健康就沒有多少好處了。」

「為什麼呢？」年輕人好奇地問。

「因為當你在做無氧運動時，身體不是在燃燒氧氣，而是在燃燒另外一種物質。」

「要運動多久才會開始對身體有益？」年輕人問。

「每天大約三十分鐘就夠了。」

「聽起來不難嘛！」年輕人說。

「是不難！」格林威先生說，「但是，就像改變生活習慣一樣，你必須持續地定期運動，讓它成為一種習慣。」

「持續的運動可以讓人快樂？」

「是的。」格林威先生說，「那天晚上，我跟那個清潔人員談了很久，他提到了快樂的十個祕密。我向你保證，每一個祕密都對我的生活產生了重大的影響。不過，其中有一個祕密是我特別需要學習的，也是我現在最有資格教給你的，那就是『身體的力量』。」

「身體？我想你指的就是運動吧？」年輕人說。

「不！我們的身體還有其他許多同樣重要的力量，也都對情緒有深入而迅速的影響，運動只是其中之一。」

年輕人非常專心地記筆記。

格林威先生繼續解釋道：「第一個是姿勢——也就是我們站立、坐著和走路的方式。如果姿勢不好，譬如彎腰駝背或身體偏向一邊，都會使我們的健康和情緒受到影響。」

「有這麼嚴重嗎？我們的站姿或坐姿怎麼可能影響情緒呢？」年輕人問道。

「我解釋給你聽，」格林威先生說，「你想像外面有一個人疲倦、沮喪、萎靡不振，你想他會怎麼站立或坐著？」

「我想不出來。」

「嗯，他會抬頭挺胸還是垂頭喪氣呢？」

「可能會垂頭喪氣吧。」

「他的胸膛會挺起來？還是縮進去？」

「我想是縮進去吧。」

「他的臉部表情是微笑，還是凝重？」

「我想他不至於微笑。」年輕人笑著說。

「他的呼吸是沉穩的？還是輕淺的？」

「輕淺的。好，我可以想像他的樣子了。」年輕人說，「我們的姿勢會因情緒不同而迥異，對吧？」

「完全正確。不過這影響是雙向的，我們的情緒會影響姿勢，姿勢也會影響情緒。如果經常彎腰駝背，我們就會容易沮喪；相反地，我們如果振作精神，抬頭挺胸，馬上會覺得好多了。聽起來難以置信是吧？改變姿勢的確可以影響心情。你如果抬頭挺胸、深呼吸並保持微笑，就不容易沮喪。

「科學家曾經找來一些憂鬱症患者，其中有些人已服用藥物超過二十年，然後用攝影機記錄他們對不同姿勢的感覺。最後科學家驚訝地發現，當他們站姿良好時，幾乎不會感覺憂鬱，也不需要服用任何藥物。你能想像這有多神奇嗎？」

「不過，我想你不至於認為要解決問題的話，只需把時間花在深呼吸、抬頭挺胸和面帶微笑上吧？」

「當然不是。不過這樣做是個好的開端。這的確會讓人感覺好些，而且真的有用啊！這是一個用身體的姿勢來控制情緒的簡單方法。快樂的祕密之一，就是隨時注意你自己的姿勢。我們常不知不覺地養成壞習慣——工作的時候駝著背，或彎著腰坐在電視機前——這些都會讓你感覺沮喪。」

「可是直挺挺地站著不太舒服。」年輕人說，「簡直像站崗的軍人嘛！」

「習慣成自然，好的姿勢要靠長期養成。事實上，如果要用到太多注意力，那就是不好的姿勢。健康的姿勢應該是自然伸直背部，並且放鬆，你不應該感到任何緊張或疼痛才對。有一種簡單的技巧可以幫助你糾正姿勢，我把稱之為『繩索技巧』。」

「繩索技巧？聽起來真好玩。」年輕人笑著說。

「是個非常簡單有效的辦法。你只需想像自己的身體是一根繩子，有個人在你頭頂輕輕拉著繩子。」

年輕人照做之後，馬上感覺自己站得比較直了，而且個子好像也變高了。

「你在這樣做的時候，會有一些些向上伸直的感覺。」格林威先生說，「而且你會覺得比較舒服。另一個很有效的技巧，可以讓身體幫助你改變情緒，叫做『下錨』。」

「下錨？」

「對。很簡單，而且絕對有效。就像俄國生理學家巴卜洛夫的狗一樣，巴卜洛夫每次餵狗時，鐘聲就會響起。久而久之，這條狗在潛意識裡就把鐘聲和食物聯想在一起，每次一聽到鐘聲的時候，牠就會流口水。人類也有同樣的情形。當你聽到牙醫的電動鑽子聲時，有什麼感覺？緊張？不舒服？因為我們把鑽子的聲音和痛、不舒服及緊張聯想在一起了。

「通常，我們的潛意識會製造一些『錨』，那會阻礙你快樂。例如，有兩個人經常吵架，以致他們一看到對方，或聽到對方的聲音就會生氣。」

「可是我還是不明白，這些跟快樂究竟有什麼關係？」年輕人打斷格林威先生。

「我的意思是，我們有負面的『錨』，也有正面的『錨』。你一定看到過運動場上，即將上場比賽的同隊隊友常會把手疊在一起，然後大喊：『加油！』因為這會讓他們感覺有信心、有力量。你現在自己試試看，感覺一下。」

「嗯，我會記住你說的方法。」年輕人猶豫地說。

「別只是記住，現在就試試看。」格林威先生說，「站起來，握緊你的拳頭，然後大喊：『加油！』」

年輕人站起身來，握緊了拳頭說：「加油！」

「不對！不對！不是用說的，要喊出來。」格林威先生說。

於是，年輕人重做一次，卯足了勁大喊：「加油！」說也奇怪，他馬上就感到精力十足。

「太神奇了。真的有用啊！」年輕人興奮地說道。

「那當然！」格林威先生說，「不只這樣，你還可以創造出別的『錨』。我教你怎麼做——回想一個令你特別開心的時刻。」

於是，年輕人想起了十年前，得到第一份工作的時候。

「盡可能清晰地回想。閉上眼睛，試著重新感受一次。當時你說了什麼？做了什麼？盡量留意所有細節。」格林威先生說。

年輕人仔細回想那個場景，突然，他感覺到格林威先生碰觸了他的右肩。

「現在，再仔細回想一遍。」格林威先生重複說。

年輕人已經可以看到那個畫面了。格林威先生又一次碰觸了他的右肩。

「你在做什麼？」年輕人說。

「別擔心，我們得多重複幾次。等一下我會解釋為什麼。」

這過程就這樣重複了七遍，直到年輕人終於忍不住問道：「這是在幹什麼？」

「我正在幫你創造『快樂的錨』。回想你的經歷，感覺我的手。」格林威先生笑著說。

「我不明白……」年輕人說道。

「我在幫你創造『快樂的錨』。」格林威先生又輕觸了年輕人的肩膀，重複說道。

漸漸地，年輕人感到一點點莫名的快樂湧了上來。

「我在幫你把潛意識裡的快樂和右肩的觸感聯想到一起。」格林威先生解釋道，「你看，用『下錨』可以創造出快樂的感覺。你要做的，只是記住你真正快樂的經歷，然後，在你回憶最快樂的那一刻時，做一些不太尋常的動作——摸摸耳朵、皺皺鼻子或轉轉手腕。只要是你平常不怎麼做的動作都可以。」

「為什麼呢？」年輕人插話。

「就像巴卜洛夫的狗啊！如果牠整天都聽到鐘聲，就不會把鐘聲和食物聯想在一起了。最棒的是，你可以用『錨』來引發各種不同的情緒——自信、憐憫或愛——基本上任何情緒都可以。」

「聽起來真是不可思議！」年輕人說，「所以，舉例來說，如果需要自信，我只要回想以前充滿信心的經歷，然後在回憶的時候做一個特別的動作，譬如拉拉耳垂，重複多做幾次，漸漸地，當我拉拉耳垂就會感覺有自信了？」

「對！就是這樣。你可能需要多練習幾次，仔細回想過去的特別經歷，然後，在你真的體驗到那次經歷的情緒高潮時，做出『下錨』的動作。習慣之後，你就知道這其實很容易。」

「這聽起來好像太簡單了！」年輕人說。

「我知道，可是真的有用呢！事實上，廣告界很多知名的廣告人都知道這個祕訣，他們常常使用這個祕訣，讓你把美好的感覺和他們所要推銷的產品聯想在一起。」

「為什麼？」年輕人不解地問，「廣告人又碰不到你。」

「這個『錨』可以是任何一種感知——碰觸、聲音、味覺、嗅覺或視覺。巴卜洛夫的狗用的是聽覺，你記得我剛才說的例子嗎？兩個經常吵架的人，只要一聽到對方的聲音或看到對方就會生氣。」

「喔！我明白你的意思了。」年輕人說。

「廣告人常常會找一個當紅的明星，把他們的歌曲拿來當廣告配樂，久而久之，人們一聽到那首歌或看到明星就會感覺很好，並很容易就把這種感覺延伸到廣告產品上。不然，為什麼有飲料商會願意付麥可·傑克遜一百五十萬美元，把他和他的歌放進廣告中？廣告人經常玩這種把戲，而我們也可以將同樣的方法運用在自己身上。這就是身體的妙用之處。此外，用身體來影響情緒的方法還有很多，例如食物也可以。」

「食物也跟這有關係？」年輕人說。

「我們所吃的食物會影響我們的感知，譬如，白麵包、蛋糕和巧克力，都會增加人體血糖的含量，這會讓人感覺疲憊、易怒；咖啡、茶和酒具有刺激性作用，會導致抑鬱；其他一些人工添加劑也會使人沮喪。某些飲料和食物宣稱『無糖』，其實都含有一種人工甘味素，研究報告指出，這種東西也會讓某些人感到沮喪。」

「有沒有什麼食物可以讓我們感覺好一點呢？」年輕人問。

「醫學研究證實，蕎麥中含有某種可以影響腦波並緩解壓力的物質。我們應該多食用水果、蔬菜和穀物雜糧，譬如糙米、燕麥、小米、大麥、豆類，以及沒有去麩的麵粉做成的麵包和通心粉等。因為這些都有助於穩定血糖、排解憂鬱及減緩壓力。」

年輕人想起自己平時吃的食物——那些速食，其實根本談不上新鮮、營養，說不定這就是導致他倦怠憂鬱的原因之一。

「還有一樣東西是好心情的必要條件，」格林威先生補充說，「那就是我們身體所需的自然陽光。」

「自然陽光？」年輕人連忙低頭記錄，然後問道，「這東西我們都有，是吧？」

「如果是這樣就好了。但很不幸的是，很多人的工作場所是沒有窗戶的，或者是常年緊閉窗戶，這就阻隔了陽光的進入。在晝短夜長的冬天，情況更糟糕。人因為缺乏陽光而產生的憂鬱，在醫學上叫做『季節性憂鬱』，由於冬天缺乏陽光，所以人更容易在冬季自殺。」

「那怎麼辦呢？」

「如果不能每天出門曬一個小時的太陽，那至少也要去做做人工日光浴。」

「聽起來挺有意思的，」年輕人興奮地說，「我從來不知道身體有這麼重要，但為什麼大家都不知道呢？」

「所以我們才叫它『祕密』啊！」格林威先生說，「其實，我們都知道如何利用身體來調動自己的快樂感覺——這是最自然不過的本能——只是我們生活在高度現代化的社會中，早把這些本能遺忘了。

「我第一次瞭解到這些的時候，就開始嘗試，並使它成為我的生活習慣：每天早上在工作前慢跑；隨時提醒自己保持良好姿勢；攝取大量的蔬菜、水果，以及天然的米、麥、通心粉；每天出門去曬一個小時的太陽。

「結果非常驚人。一星期之後，我感覺身心健康、情緒大好，於是開始跟其他人一起分享心得。後來我每週抽出幾個晚上，再加上週六下午，在物理治療中心和一些私人健康俱樂部授課。幾個月之後，事業愈做愈大，我就開始做全職的健康顧問。那種樂在工作的感覺真是太棒了。

「也不能說是工作啦！說玩樂可能比較準確。」

「我想這都要感謝那個清潔工人。」年輕人說。

「沒錯！幾個星期之後我曾試著聯絡他，想感謝他的幫忙。可是，竟然沒有人聽說過他。」

「等一下，」年輕人警覺地問，「他是不是……一位中國老人？」

格林威先生笑著回答：「你說還會有誰呢？」

回到家中，年輕人馬上坐下來閱讀自己的筆記：

身體的力量

- 行為影響情緒。
- 運動可以舒緩壓力，使大腦釋放出能夠讓人感覺快樂的化學物質。要定期運動——可以的話，每天運動三十分鐘。
- 姿勢影響情緒，正確的姿勢帶來快樂的心情。
- 快樂的感覺可以用「下錨」的方式來形成聯想。
- 食物影響我們的感覺，要避免咖啡、茶、酒、甜食及人工添加劑。攝取大量的新鮮果蔬和五穀雜糧。
- 缺乏自然陽光將使人感到憂鬱和沮喪。如果可以，每天都出門去曬一個小時的太陽。

祕密5

目標的力量

兩天之後，年輕人見到了名單上的第五個人——朱利斯．法蘭克博士。法蘭克博士是市立大學的心理學教授，雖已年屆七十，卻依然步履矯健，這讓年輕人想起了那位中國老人。

「我是在許多年前遇到中國老人的，」法蘭克博士說，「那是在第二次世界大戰期間，我被關在遠東地區的戰俘集中營裡。那裡的情況簡直不堪忍受，烈日炎炎，食物短缺，水質骯髒，許多戰俘都得了痢疾、瘧疾或中暑等疾病。有些人無法忍受這樣的身心摧殘，認為死亡就是最好的解脫。我自己也想過一死了之，但是有一天，一位中國老人的出現扭轉了我的人生。」

年輕人非常專注地傾聽著法蘭克博士訴說那天的遭遇。

「那天，我坐在囚犯放風的廣場上，身心俱疲，心裡想著，要衝上通了高壓電的鐵絲網是多麼輕而易舉的事。不知何時，我發現身旁突然坐了一位中國老人，當時我很虛弱，還以為這是幻覺。畢竟，在日本的戰俘營裡，怎麼可能突然出現一個中國人？」

「他問了我一個問題，一個很簡單的問題，卻救了我的命。」

法蘭克博士停頓了一下。

年輕人馬上提出自己的疑惑：「究竟是怎樣的問題可以救人一命呢？」

「他問的是，」法蘭克博士繼續說，「『當你活著離開這裡時，想做的第一件事情是什麼？』

「這是我從來沒想過，也從來不敢想的問題。但我已經有了答案：我要再看看我的妻子和孩子們。然後，突然間，我想到自己必須活下去，那件事情值得我活著回去做。那個問題救了我一命，因為它給了我某種已經失去的東西——活下去的理由！

「從那時候開始，活下去變得不再那麼困難了，因為我知道，每多活一天，就離戰爭結束近一點，也離我的夢想近一點。中國老人的問題不只救了我的命，還給我上了一課——我從來沒學過，卻非常重要的一課。」

「是什麼？」年輕人問。

「目標的力量。」

「目標？」

「是的，目標，企圖，值得為之奮鬥的事。目標給予我們生活目的和意義。當然，我們也可以沒有目標地活著。但是，如果我們要真正快樂地活著，就必須有生存的目標。有位偉人曾說過：『沒有目標，生活便會結束，碎裂消失。』」

「什麼東西碎裂了？」年輕人問。

「靈魂。你知道為什麼很多人退休之後很快就變得衰弱，然後死去？你是否覺得奇怪，為什麼很多富人和名人最後竟然也嗑藥或酗酒？」

年輕人點點頭，他的確常想不通為什麼很多人一退休之後，很快就會變「老」，也不明白那些名人富豪——坐擁豪宅數座、家財萬貫，還有幸福的家庭和發達的事業——但不是嗑藥、酗酒，就是莫名其妙地自殺了。

「原因之一，就是他們覺得生活沒有目標、沒有意義。」法蘭克博士解釋道，「你聽說過海倫．凱勒吧？」

「聽說過。我知道她又瞎又聾又啞，但熱愛自己的生命。」

「沒錯！但你知道她為什麼熱愛生命嗎？」法蘭克博士說，「因為她賦予自己的生命意義。當被問到為什麼有這麼多身體缺陷，還能如此快樂時，海倫回答：『很多人都錯估了快樂，快樂並非來自於自我滿足，而是來自於對目標的堅持。』人類最基本的需求就是尋求生命的意義，而這意義就是『目標』所帶來的。

「目標會創造出目的和意義。有了目標，我們才知道要往哪裡去，去追求什麼。沒有目標，生活就會失去方向，使我們成為迷途的小羔羊。人們生活的動力通常有兩個：遠離痛苦與追求歡愉。目標可以讓我們把心思緊繫在追求歡愉上，同時也讓我們更能夠忍受痛苦。」

「我有點不太明白，」年輕人猶豫地說，「目標為什麼可以讓人更能夠忍受痛苦呢？」

「嗯，我想想該怎麼說……好！比如你肚子痛，每幾分鐘就會來一次劇烈的疼痛，使你忍不住呻吟，這時你有什麼感覺？」

「太可怕了，我可以想像。」

「如果疼痛愈來愈劇烈，而且間隔的時間愈來愈短，你有什麼感覺？你會緊張？還是興奮？」

「痛得要死了，怎麼還可能興奮？除非你有被虐待傾向。」

「不，想像一個臨盆的孕婦！她忍受著痛苦，知道自己最終會生下一個孩子。在這種情況下，孕婦甚至可能期待痛苦來得更頻繁些，因為她知道陣痛愈頻繁，就愈表示她快要生了。這種疼痛包含著有意義的目標，因而使得疼痛可以被忍受。

「同理，如果你已經有了目標，就更能忍受達成目標之前的痛苦。當時我也是因為有了活下去的目標，所以更有韌性，否則可能早就撐不下去了。後來我看見一個情緒非常消沉的戰俘，就問他同一個問題：『當你活著走出這裡時，想做的第一件事情是什麼？』他聽了我的問題，臉上的表情漸漸變了，他因為想到了目標而雙眼發亮；他要為未來而奮鬥，他知道，努力地多活每一天，便離自己的目標更近一步了。

「看到一個人的改變這麼大，自己的話又給了他很大幫助，那種感覺太棒了！所以，我又有了新目標——每天盡可能地幫助更多人。度過最困難的時期也好，走過最幸福的時期也罷，其中的祕密都一樣——『目標』。如果目標可以讓一個被關在戰俘營裡的人產生活下去的欲望，那麼，對生活在和平年代中的人不就更有幫助嗎？

「戰爭結束之後，我在哈佛大學從事一項很有趣的研究。我調查一九五三年那屆的畢業生，問他們在生活中是否有什麼企圖或目標？你猜多少學生有特定的目標？」

「百分之五十。」年輕人猜道。

「錯了！事實上，低於百分之三！」法蘭克博士說，「一百個人裡面，不到三個人對自己的生活有一點想法。我們持續追蹤這些學生達二十五年之久，結果發現，那些有目標的百分之三畢業生，比其他百分之九十七沒有目標的人，婚姻更穩定，身體更健康，財務情況也比較正常，生活也更快樂。」

「為什麼有目標會讓人比較快樂？」年輕人問。

「因為我們的活力不只來自食物，更來自心中的一股熱忱，而這股熱忱來自目標，來自對某個事物的企求與期待。為什麼有這麼多人不快樂？主要原因就在於，他們的生活沒有意義、沒有目標，早上沒有起床的動力、沒有目標的激勵，也沒有夢想。因此，他們在生命旅途中迷失了方向和自我。」

「如果我們擁有追求的目標，」法蘭克博士繼續說，「生活的壓力和張力就會消失，我們就會像參加障礙賽跑一樣，為了達到目標，努力衝過一道又一道關卡和障礙。所以，我總是建議我的病人去學『搖椅技巧』。」

「那是什麼？」年輕人問。

「是一種很簡單的技巧。想像你已經活過了大半輩子，此刻正坐在一張搖椅上回想你的一生。你會希望想起什麼？你曾經做過什麼？你想去什麼地方？你的社交狀況如何？最重要的是，你希望自己是個什麼樣的人？」

年輕人低頭記錄著。這些都是充滿力量的問題，但他以前卻從來沒有想過。

「這個技巧可以幫助你創造出長期的目標。然後，我們再按同樣的方法想出短期目標——十年、五年、一年、六個月、一個月，甚至一天的目標。我會要求我的病人把這些目標都寫下來，每天早上醒來後第一件事，就是讀它一遍。這樣，每天都會有一個積極的目標激勵你起床，並讓你在這一天充滿熱忱與興奮。」

「我會試試看，」年輕人說，「早上我總是很難從床上爬起來。」

「如果在白天和晚上睡覺之前都能再讀一遍，也會讓你把這些目標都牢牢記住。」

「若我改變主意，決定放棄其中某個目標呢？」年輕人問。

「好問題。我們的價值觀和優先考慮的事情，的確會因為年齡的增長和經驗的累積而有所改變，所以，只要根據自己的想法改變目標就可以了。所以，『搖椅技巧』應該經常做，至少一年一次，這樣就會有一些自己已經想清楚的目標可以追求，也可以為自己的生命創造目的和意義，讓生活更有動力。

「目標為我們提供快樂的基礎。人們總以為舒適和富裕是快樂的基本條件，事實上，真正讓我們感覺快樂的，卻是某些能激發我們熱情的東西。缺乏意義和目標的生活是無法創造出持久快樂的，所以快樂的最大祕密，就是我所說的『目標的力量』。」

「你有再遇到過中國老人嗎？」年輕人突然問。

「沒有。有時候我甚至覺得，他可能只是我幻想出來的虛構人物。」法蘭克博士說。

「為什麼？」

「因為我以前從來沒有在戰俘營裡見過他，之後也沒有再遇到他——有時候烈日的確會讓人頭昏眼花。但戰後不久，我發現他真的存在。」

「你怎麼發現的？」年輕人問。

「我收到一個年輕人寄來的信，他說，我的地址就是中國老人給他的。」年輕人回到家後，把與法蘭克博士面談的記錄拿出來復習了一遍：

目標的力量

- ♣目標賦予我們的生命意義和目的。
- ♣有了目標，我們才會專注於追求喜悅，而不是避免痛苦。
- ♣目標讓我們早上有起床的動力。
- ♣目標可以讓痛苦的時光好過一些，而快樂的時光可以更快樂。
- ♣「搖椅技巧」幫助我們決定一生的目標——包括短期和長期。寫下所有目標，在以下時間讀一遍：早上起床後、白天的某個時間、晚上睡覺之前，記得至少每年重複一次搖椅技巧，以確定自己的目標仍然適用。

祕密6
幽默的力量

「這可能有點荒謬，我原以為這只會讓我對自己的問題感到好笑，後來才發現，這是克服頹喪的最好方法，同時還可以創造快樂。」

說話的是約瑟夫．哈特先生，一個身材矮小，但精力充沛的五十多歲男人；他是個有執照的職業計程車司機，也是年輕人名單上的第六個人。

「十年前，」哈特先生繼續說，「我的生意被幾個大客戶拖垮了，他們簽給我的幾張大額支票全跳票了，害我資金周轉不靈，又籌不到款項，我只能眼睜睜看著自己辛苦經營做大的生意垮掉，自此一無所有。

「我完全看不到希望，非常生氣，也很沮喪，於是在市中心希爾頓大酒店的十三樓租了一個房間——信不信由你，我當時準備跳樓自殺。」

年輕人聽到這話，驚訝得說不出話來。

「我坐在床沿，雙手抱著頭，極力想鼓起一點勇氣來做已經計畫好的事。最後，就在我鼓起勇氣，走到陽台欄杆邊緣的時候，身後突然傳來聲響。我轉身，看見一個服務生走進房間，向我問好；接著他也走到陽台上，問我需不需要服務。我說不用了。他俯瞰城市，一陣風吹過來，他深吸一口氣，說：『多美好的一天！』

「『有什麼美好的？』我沒好氣地說。他隨即說了一句話，讓我彷彿被潑了一頭冷水。他說：『如果你能試著失去一點點，之後就會發現什麼才是美好的。』我因為長期處於壓力狀態下，一聽這話，竟然當場哭了出來。他問我到底怎麼回事，於是我告訴他，我已經一無所有。

「他看起來很迷惑，說：『這是什麼意思？你還看得見吧？』

「我說：『當然！』

「他說：『很好！所以你還有眼睛嘛！你還聽得見，也能說話，而且也還能走啊！那麼，你到底失去了什麼？』我說是金錢，還有我的所有財產都沒有了。『啊！』他叫起來，『你指的就是錢啊！』然後他又潑了我一盆冷水，他說：『你願意自己是一個得了絕症的百萬富翁？還是一個健康的窮光蛋？』

「我當時完全答不出話來。那個服務生繼續解釋說，許多人只是因為一時看不到前途，就變得不快樂。與服務生的交談雖然沒有解決我的問題，卻使我開始從不同的角度看問題，而這已經足以讓我重新思考自己的生活。可是我一直沒有機會告訴他，他那些樸實的智慧阻止了我當時的計畫——自殺。

「他在離去之前，給了我一張小紙條，上面寫著十個人名和電話號碼，他說這些人可以幫助我解決問題。我原以為他的意思是，這些人可以借錢給我。事實上，這些人給我的是比金錢更有價值的東西——快樂的祕密。

「就是那些祕密讓我學會重新站起來，為自己創造快樂。我還有很多快樂的祕密需要學習，包括信心的重要性，以及我們的態度、身體的健康、寬恕和關係……但是，其中一個祕密是我特別需要掌握的，那就是『幽默的力量』。我本來是那種對待任何事都很嚴肅的人，但是，如果從來不笑，就很難快樂起來。」

「這不是本末倒置嗎？」年輕人說，「應該是先有快樂的感覺，然後才會笑，也才不會把事情看得那麼嚴肅，不是嗎？」

「沒錯。不過，笑既是快樂的產物，也是製造快樂的元素。你看，在笑的過程中——包括微笑——你的腦子會釋放出一種化學物質，使你產生一種興高采烈的感覺。專家學者曾經指出，笑的時候，血液中的壓力荷爾蒙——腎上腺素和可體松會降低，所以我們才不會感覺到焦慮。」

「可是，為什麼很多諧星反而都患有嚴重的憂鬱症呢？」年輕人反駁說。

「我可以向你保證，人們並不會因為笑得太多而變得沮喪。」哈特先生說，「很多人本能地利用笑或幽默的力量幫助自己擺脫憂傷。但你要記住，幽默只是快樂的十個祕密之一，如果要創造快樂，就必須把這十個祕密都結合起來。只使用幽默的力量就希望能夠得到快樂，就好像一個人只知道運動有益健康，卻不知道飲食、休息、減壓等因素也會影響身體的健康。

「科學研究分析也指出，笑，會增進我們的專注力，對於解決心理問題也很有助益。馬里蘭大學的研究者在幾年前做過一個非常有趣的實驗——讓兩組人解決一個問題，不同的是，第一組人在解決問題前，先看三十分鐘的教學錄影帶；另一組人則在試驗之前看三十分鐘的喜劇節目。結果，那組看喜劇節目的人，解決問題的平均速度比另一組人快了三倍。」

年輕人問道：「可是當某人遇到問題，或感覺沮喪、憂鬱、緊張、擔心時，怎麼可能還笑得出來呢？」

「沒錯，他們會笑不出來。但這就是問題所在了！如果他們能夠笑一笑的話，就可以改善狀況，因為笑不僅會讓他們感覺比較好、比較沒有壓力，也可以讓他們更容易地解決問題。你是否曾因為某件事而生氣或沮喪，但幾個星期之後，竟然可以把那件事當笑話一樣講給朋友聽？」

「有，我想每個人都有過這種經歷吧！」

「你在打趣這件事時，會覺得不妥嗎？」

「怎麼會呢？」年輕人笑著說。

「這就是我要說的重點！」哈特先生說，「當然沒什麼不妥！所以，如果我們能夠早一點笑出來，不就能早點解決問題嗎？這有什麼不好呢？」

「我明白你的意思了。可是，事情發生當時，怎麼笑得出來呢？」

「祕密就是，『找出』好笑的地方。我們可以選擇自己的思想，選擇要把心的焦點放在哪裡。不要去注意：『這件事有多糟？』我們可以輕鬆問自己：『這件事有多好玩？』」

「如果這件事一點也不好玩呢？」年輕人固執地問。

「那就問自己：『能不能好玩一點？』每件事總有一部分是可以拿來笑一笑的。笑通常就能解決一半的問題，關鍵就是去找出那個有趣的部分。」

「好像言之有理，可是並不是每件事都那麼容易找到有趣之處。」年輕人堅持道。

「當然不是每件事都可以拿來說笑。」哈特先生表示同意，「但大多數是可以的。重點在於，如果你想找出事情有趣的一面，就一定可以找到。我曾聽過一個有趣的故事，是關於美國阿波羅登月計畫中的第一個太空人約翰·格林的。在約翰準備登上太空梭的時候，一個記者攔住他，問：『約翰，萬一太空梭的動力引擎在太空中突然失靈，使你無法返回地球，你會怎麼辦？』約翰笑著對這個記者說：『那真的會毀了我那一天！』」

「天底下有幾個人會在有生之年遭遇約翰所面臨的巨大壓力？恐怕大部分人都不會碰到。可是，如果我們都能夠以他那種幽默的態度去面對挑戰，就可以在人生旅途中體驗更多的快樂。

「阿波羅計畫成功之後，另一個記者又在一場記者會上問約翰：『當你成功地返回地球，進入大氣層時，心裡有什麼想法？』約翰回答：『我進入地球大氣層時，心裡想著：我乘坐的這架太空梭是由最低價投標的廠商所製造的！』

「這個想法的確很恐怖，但約翰以他的幽默克服了恐懼。我這麼說的目的是想告訴你，不管你面對的挑戰或困難有多棘手，你所能問自己的最合適問題，就是：『這件事有什麼有趣之處？』或『這件事能不能有趣一點？』

「大多數人看待人生的態度太嚴肅了。其實我們可以停下腳步，問自己：『十年之後，這件事對任何人會有什麼影響嗎？』如果答案是『不會』，那就不會真有多嚴重，是吧？這有點兒像抗壓的兩階段祕方。」

「抗壓的兩階段祕方？那是什麼？」年輕人問。

「第一個階段是：別在意小事。」

哈特先生停頓了一下。

「那第二個階段呢？」年輕人問道。

「第二個階段就是：大多數事情都是小事！」哈特先生繼續說，「我這裡有一張小紙條，是一位罹患了重病的八十五歲老太太所寫的，其中藏有很大的智慧。」哈特先生把紙條遞給年輕人。

如果可以重新來過，我會試著多犯一些錯誤；我將不再如此完美，我會輕鬆一點，愚笨一點。其實很多時候，我都可以不必太認眞，可以瘋狂一點。

我會珍惜更多機會，攀更多山峰，遊更多河流，去更多沒有去過的地方旅行；我還要吃更多的霜淇淋，少吃一點豆子。

我願意面對更多實際的問題，而不要只是在腦中想像。我就是那種身體健康、心智健全、平平安安度過每一天的人！

如果可以重新來過，我要擁有更多自己的時間。

我曾經是那種沒有溫度計、熱水瓶、漱口水、雨衣和雨傘就出不了門的人，如果可以重新來過，我要更輕便地去旅行。

如果可以重新來過，我要在春天來臨之前就光起腳丫，直到秋末。

如果可以重新來過，我要欣賞更多次日出、日落，要和更多的小孩一起玩。可是，我無法重新來過。

年輕人微笑著說：「你說得對，這訊息很有用。我可以保留一份嗎？」

「當然可以。」哈特先生笑著說。

「謝謝你跟我分享這一切。」年輕人說，「我今天得到了很多啟發。」

「太好了！很高興可以幫助你。」哈特先生說，「我有沒有告訴過你，美國著名喜劇演員喬治．伯恩所說的快樂的祕密？」

「沒有。」

「喬治．伯恩說：『快樂的祕密是什麼？很簡單，一根好雪茄、一頓好餐點和一個好女人——或一個壞女人，一切以你能掌握多少快樂而定。』」

年輕人起身告辭，走到門口，又轉頭問哈特先生：「你還沒告訴我，你是怎麼認識那位中國老人的？」

哈特先生微笑道：「我沒告訴你嗎？他就是那個酒店服務生啊！我一直沒告訴

他，自己本來想在酒店做的事。第二天早上，我去服務台，希望可以當面謝謝他幫助了我，可是竟然沒有人聽說過他。」

「所以，你也一直沒有機會謝謝他？」年輕人問。

「是的，沒有機會謝謝他。」哈特先生笑著說，「可是我感覺他一定知道。畢竟，是他給了你我的電話號碼，不是嗎？」

那天晚上，年輕人在睡前再次拿出筆記復習：

幽默的力量

- 幽默可以緩解壓力，並創造快樂的感覺。
- 笑，可以增進我們的注意力和解決問題的能力。
- 不管遭遇任何事，只要認真尋求其中有趣的部分，就可以找到。
- 不要問：「這件事有多可怕？」要問：「這件事有多有趣？」或「這件事能不能有趣一點？」
- 記住「抗壓的兩階段祕方」：別在意小事，大多數事情都是小事！

祕密7 寬恕的力量

第二天，年輕人坐在名單上的第七個人：哈伍德．傑柯布森醫師的辦公室中。身材高大、頭髮濃密、眼珠湛藍，年約四十二歲的傑柯布森醫師，是市立醫院有史以來最年輕的外科主治醫師。而他位在醫院大樓頂層的辦公室，有兩面牆是落地玻璃，其中一面朝向城西，望出去，窗外景致非常迷人。

「我第一次聽到快樂的祕密，是在大約二十年前。」傑柯布森醫師向年輕人說起了自己的故事。

「你從中得到幫助了嗎？」年輕人問道。

「當然。」傑柯布森醫師說，「我的生命也因此完全改觀了。我在成長過程中從來沒有很快樂的感覺，總是處於『將會』快樂的狀態。考上大學以後，我本以為『將會』

快樂，可是實際上，什麼也沒有改變。後來我想，考取醫師執照以後，我就會快樂了。可是當我真的考取了外科醫師執照，甚至等我結了婚、有了小孩之後，情況還是沒有改變。事實上，除了擁有成功的事業、美滿的家庭和可愛的妻子之外，我並沒有真正快樂過。

「回首過去，我想原因應該是，十歲那年，我被父親送到寄宿學校就讀。當時我並不願意。我母親在我九歲時死於一場車禍，當場死亡。我的父親當時也在同一部車子裡，他開著那部車，卻只有輕微擦傷。我在潛意識裡，其實已經把那場意外全部歸罪於我父親。雖然這麼想很殘酷，但我的確是帶著痛恨父親的心態成長的。」

「為什麼呢？」年輕人問。

「我認為他送我去寄宿學校，是因為他不愛我，或根本不要我了。」

傑柯布森醫師說到這裡，停頓了一會兒，眼睛看向窗外。

「我帶著這種憤恨的感情生活了十五年。」他降低了聲調，繼續說，「當你心裡潛藏了這麼深的怨恨和憤怒，實在是很難快樂起來。」

「有一天，我在機場，正準備飛往另一個城市參加一個醫學會議時，擴音器傳出『傑柯布森醫師，請與服務台聯繫』。當我走到服務台，有人給了我一則緊急訊息——我父親心臟病發，正躺在市立醫院的加護病房中。我坐了下來，雙眼死盯著手上那張寫著訊息的紙條，不知道該怎麼辦。因為我幾乎有五年時間沒有跟我父親談過話了。

「就在我把手上的紙條揉成一團，準備丟進身旁的垃圾桶時，有個人走了過來，問我旁邊的位子有沒有人坐。我搖搖頭，看了那人一眼，是個矮小的中國老人。他坐下之後，就跟我聊了起來。他談到他正要搭飛機去探望一個在意外事故中失去一條腿的朋友——一輛汽車在他過馬路的時候，不但將他撞倒，還輾過他的右腿，但他很幸運地活了下來。那位肇事的駕駛顯然正在趕路，居然沒有看到有人正在穿越馬路。『我最恨這種人了。』我說。結果中國老人聽了之後，竟然一臉惶恐地說：『為什麼要恨一個人？就因為他犯了錯嗎？每個人都會犯錯，如果僅僅因為人們犯錯就恨他們，那豈不是要恨包括自己在內的所有人？』

「然後他轉向我，微笑著說：『在我的國家有一個說法：不懂得寬恕的人，就無法快樂。』

「我辯解道：『寬恕沒有那麼容易，要看對方犯了多大的錯誤而定。』

「他說：『如果真是這樣，那天堂一定很寂寞。』

「後來，他提到了生命的法則和快樂的祕密。我以前從來沒聽說過，當時心裡卻被某些東西攪亂了。幾分鐘之後，老人就離開了。臨走前，他看了一眼我手中的那團紙。這時候，我已經知道該怎麼做了。

「我退掉機票，到醫院去看我父親。他躺在床上，身上插滿了管子，床邊還有一台心電圖檢測儀。我走過去坐在他的床邊，做了一件從來沒有做過的事——握住父親的手。他躺在那兒一動也不動，也說不出話，而醫生也不確定他到底能不能聽得見。我彎下腰，在他耳旁輕聲說：『爸爸，是我，哈伍德。』這時，一件最美妙的事發生了——一滴眼淚從他臉頰滑落，而許多、許多年來第一次，我哭了。那一刻，我原諒了他，心中也放下了過去的一切。

「之後的兩個星期裡，我每天都去看他。雖然他仍然無法張開眼睛，可是當我握著他的手時，可以看見他的眼皮在輕微顫動，他也會緊緊地握著我的手。最後，我天天祈禱的奇蹟發生了。那天我去醫院，竟看到他已經完全清醒，正在喝茶。

「我們高興地擁抱，這是我從不曾有過的舉動。接著，我們開始聊天，聊了一整個下午，比十五年來談話的總和還多。在這次談話中，我終於瞭解了奪去我母親生命的車禍過程，以及我被送到寄宿學校的真正原因。十五年前，一輛載貨卡車在結冰的公路上打滑，失去了控制，結果撞上我母親那一側的車門，導致我母親當場死亡。那完全是一場意外，不是任何人的錯。我父親當時雖然沒有表現出什麼，但他內心飽受愧疚的煎熬。

「我父親談著往事，忍不住熱淚盈眶。我父母是青梅竹馬的眷侶，可是我當時只想著自己，卻從來沒有想過父親因此所遭受的痛苦。之後，我父親得到一份高薪的工作，但必須經常出差遠東和美洲大陸。為了讓我能得到更好的教育和照料，他才決定把我送到寄宿學校就讀。

「很多人說時間可以治癒一切，可是，事實上並沒有。許多年之後，時間的確可以讓憤恨和痛苦漸漸淡去，但除非我們已經可以寬恕一切，否則憤恨和痛苦不會完全離開你的靈魂。寬恕的關鍵並不在於時間的流逝，而是在於理解。印地安蘇族人有一則祈禱文說得很貼切：『喔！偉大的靈魂啊！不要讓我評判一個人，除非我穿著他的鹿皮鞋兩個星期以上。』

「我們經常批評別人，卻從來沒有想過，如果遭遇類似經歷，我們的反應會有什麼不同嗎？譬如，我從來沒有想過父親喪妻之後的心情，以及他為什麼堅持送我去寄宿學校。我只考慮到自己。結果，我以為他送我去寄宿學校是因為他不愛我，或不要我了。事實恰恰相反，他正是因為愛我，認為這樣對我最好，才會那麼做。他失去了我的母親——他青梅竹馬的妻子——他不知道該如何照顧我，而且由於工作，他也無法照顧我。」

聽著傑柯布森醫師的故事，年輕人想到了自己的生活，也有許多人曾經令他很生氣，其中兩件事很快就浮現在他腦海裡：他的老闆，總是批評他；還有一個好朋友，向他借錢，一年多了還沒有還。年輕人馬上警覺到，他一直是以自己，而非別人的角度去考量這些事。

「我可以理解，對方若沒有惡意，他犯的錯很容易得到寬恕。但如果對方惡意中傷你，為什麼還要寬恕他呢？」年輕人問。

「為什麼不？」

「因為有些事就是不可寬恕！」年輕人堅持說道。

「我不這麼認為，」傑柯布森醫師說，「例如小孩的惡作劇，他們都是故意的，而且常常造成不可寬恕的後果，你同意嗎？」

年輕人點點頭。

「但是，百分之九十五的小孩都曾經惡作劇過，你現在當然會痛恨這種行為。但如果你也是個小孩，你確定不會做同樣的事嗎？」

「說的沒錯，但還是很不容易去寬恕啊！」年輕人說。

「我沒有說容易啊！你聽說過嗎？『人都會犯錯，可是只有神能夠寬恕。』我們可以試著多從別人的角度來看事情。如果你無法寬恕，會發生什麼事？到底誰會受罪？誰會得胃潰瘍，又是誰會得高血壓？你自己啊！」

「《聖經》上說：『以牙還牙，以眼還眼。』也就是說，復仇才能使靈魂安息！」年輕人堅持道。

「但是，《馬太福音》第五章也說：『要忍受暴力，忍受侮辱』，『把復仇留給神』。如果我們每次都以復仇來解決問題的話，就會如同聖雄甘地所說：『整個世界將會全是瞎子和無恥之徒。』報復帶不來和平，只會帶來無窮盡的冤冤相報。

「如果心裡充滿了恨，哪還有空間再容下愛和快樂呢？寬恕可以釋放你的靈魂，並容許愛和快樂進駐內心。」

傑柯布森醫師走向房間的另一端，那裡有兩張高背椅靠著牆。

「就像這兩張椅子，」他說，「一張是愛和快樂，另一張是憤恨，你無法同時坐在兩張椅子上。」

「你可以寬恕，可是你無法忘記。」年輕人辯解道。

「那就不是寬恕。寬恕是擦掉所有的痕跡，完全清除。放手讓憤怒和怨恨離開，就像放下手中的大石頭一樣。抱著大石頭會讓你無法承受，放下，你才能減輕負重，才能真正自由。中國聖人孔子也說：『知錯能改，善莫大焉。』

「世上的每一個宗教都強調寬恕的力量。如果我們不能原諒彼此，如何期待上帝原諒我們？一個無法寬恕別人的人，就像一個過河拆橋的人，因為他忘了自己遲早也需要被寬恕。」

「可是，你能寬恕一個人多少次呢？」

「他犯多少次錯，就寬恕他多少次。如果你無法寬恕，你自己將是唯一痛苦的人，因為怨恨和氣憤附著在你身上，寬恕才能讓你擺脫痛苦。所以，如果你想要快樂，寬恕是唯一的出路。只有釋放了不滿和怨恨，才有可能體會到快樂和歡愉。當然，我也相信每個人都一定會為自己的錯誤付出代價，不管在今世還是來生。如果宇宙運行有規律的話，那就是因果循環的規律。

「你應該聽說過：『種什麼因，得什麼果。』我們的所作所為最後都會反饋到自己身上。你如果相信這一點，就不該緊抓著憤恨或痛苦不放。我不確定宇宙運行是不是依循這種規律，我也可能是錯的，不過我選擇相信，我也因此比以前更快樂。

「不過，你知道什麼人最難以原諒和同情嗎？」

「不知道。」年輕人回答。

「你自己！」

「什麼意思？我為什麼要原諒自己？」

「我們都是人，難免會摔倒或犯錯，如果做了某些讓自己感到羞恥或困窘的錯事，我們便會在下次尋求改正，這樣的反省可以讓我們更加看清自己。如果我們不自愛或不自重，又怎麼快樂得起來呢？如果神都能原諒你，你當然也能原諒自己。有句老話說：『智者每天都會跌倒七次，但他們也七次都重新站起來。』」

「我以前根本沒想過這點，」年輕人說，「這些聽起來都有道理，但恐怕不容易付諸行動。不過，我一定會試試看。」

年輕人這天睡覺之前，把記事本拿出來再看一遍：

寬恕的力量

- 寬恕是開啟快樂之門的鑰匙。
- 你若感到憤恨和不滿，就無法快樂；除了你自己，沒有人願意承受這些。
- 錯誤和失敗是人生必修課，要寬恕自己，寬恕他人。
- 記住印地安蘇族人的祈禱詞：「喔！偉大的靈魂啊！不要讓我評判一個人，除非我穿著他的鹿皮鞋兩個星期以上。」

祕密8
給予的力量

兩天之後，年輕人坐在運動中心的游泳池觀眾席上，他正在等名單上的第八個人：彼得．坦斯渥德。觀眾席上空無一人，可以清楚聽見游泳池裡傳來小孩歡叫的戲水聲。

「嗨！你是上個星期打電話給我的人嗎？」一個穿著運動夾克的人站在游泳池畔向年輕人打招呼。

「你是坦斯渥德先生嗎？」

「是的。」穿運動夾克的人笑著對他說，「再過十分鐘我就可以過來找你，游泳課就快結束了。」

「沒問題，」年輕人也大聲回應，「你忙吧！」

眼前的情景再平常不過了——大約二十多個小孩正在上游泳課。可是當孩子們爬出游泳池的時候，年輕人注意到有一個小男孩只有一隻手臂，另一個小男孩則只有一條腿。再仔細觀察其他孩子們，年輕人發現這些孩子的身體都有些缺陷。

幾分鐘之後，坦斯渥德先生向年輕人走來。

「嗨！真高興終於見到你了。」坦斯渥德先生說著，和年輕人熱情地握手。

坦斯渥德先生膚色稍微黝黑，眼神明亮，看起來好像總是帶著笑。年輕人簡短地提及他和中國老人相遇的經過，以及之前他所見過的一些人。

「我遇到那位中國老人，大約是在五年前，那是我一生中最大的轉捩點。」坦斯渥德先生說，「那時，我擁有一家電腦公司，經營得很不錯。賺錢是我生活中最大的目標，到了三十五歲那年，我已經是個千萬富翁了。可是，我很不快樂。」

「為什麼？」年輕人問道。

「有句話說：『一個人如果失去了靈魂，那他的生命還有什麼意義呢？』這正是我當時生活的寫照。攀上事業高峰的同時，我也失去了那些對我真正重要的東西：太太跟我離婚，朋友少得可憐。每天只是拚命賺錢，錢多到花不完。

「記得有一年耶誕節，我非常沮喪，於是花五千英鎊為自己買了一只勞力士手錶，希望能讓自己開心一點。剛買來的時候，我的確非常開心。可是不到兩小時，我的心情又開始低落了，就跟買手錶之前一樣沮喪。當時，我也不知道為什麼會認為買手錶可以讓自己快樂，那只錶跟其他錶其實沒什麼差別，都只是用來報時而已。

「那天是平安夜，街上人滿為患。我坐在購物中心的休息椅上，看著形形色色的來往路人從我面前走過，感受到從未有過的孤獨。我覺得自己是個真正孤獨寂寞的人。

「耶誕節可以是一年裡最美妙的日子，也可以是一個最孤寂悲慘的日子。每年都有成千上萬的人悲慘地生活著，他們沒有家人朋友，沒有錢，沒有食物，也無家可歸。對他們來說，耶誕節只是個凸顯貧困的日子。那天，我深深地感覺到，人生竟然可以如此悲慘與孤寂。但是，接下來的一件事卻改變了我的一生。」

「什麼事？」年輕人問。

「一位瘦小的中國老人坐到了我身旁。」

年輕人微微一笑。

「他對我說：『你知道第一次世界大戰中，士兵們唯一一次放下武器和平相處，是在一九一四年的耶誕節嗎？』我不知道，也不感興趣。可是這老人又自顧自地繼續說道：『在諾曼第，英國和德國的士兵各自爬出戰壕，祝福對方，並分享食物和飲料。』」

坦斯渥德先生停頓了片刻後，繼續說：「你想想，那真的很不可思議吧？」

年輕人點點頭說：「我想是的。」

「中國老人接著說：『我們在別人給予、服務自己的過程中得到快樂。可是，耶誕節卻是一個讓我們發現給予、服務別人更能獲得快樂的日子。』

「老人的話讓我想到自己的生活。我以前總認為只有得到才會快樂——得到更多錢、得到更好的工作、得到更大的房子、更棒的車子……然而事實卻是，我已經應有盡有，卻仍然無法擁有快樂。

「我跟中國老人聊了很久，也第一次聽到了關於快樂的十個祕密。因為他，我遇到了一些好人，他們跟我分享許多祕密，給了我很大的幫助。其中有一個祕密對我來說特別重要，那就是給予的力量。

「很難想像，一件你朝思暮想卻難以得到的東西——快樂——竟可以透過給予而輕易得到。這是宇宙中最神奇的法則——給予愈多，得到愈多；就好像播種一樣，你播下的種子愈多，將來的收穫也就愈多。」

「可是，自己還沒得到的東西，怎麼給予呢？」年輕人問。

坦斯渥德先生笑了，「這就是給予的力量最美妙的地方！」他說，「你可以透過給予而得到；予人歡樂，你也會得到歡樂，就像香水一樣。」

「香水？」年輕人不解。

「你把香水噴灑在別人身上，自己卻可以聞到香味；以微笑為例，當你對別人微笑，別人也會回你微笑；就像迴力棒，你把它丟出去，它遲早也會回到你手上。

「你一定有過這樣的經歷吧？你為別人做了一些沒有特別目的，甚至微不足道的事，譬如為人指路，或幫助盲人過馬路，甚至只是記得朋友的生日、給別人一些真誠的建議，或向別人道謝。」

年輕人點點頭說：「是的，我有過這樣的經驗。」

「那時你感覺很好吧？不只是因為別人會對你的幫助表示感謝，更因為你在給予幫助時，會自然產生一種很好的感覺。」

年輕人想起幾年前，他曾在市區遇到一個迷了路的外國女人。那時正是下著雪的冬天，這女人被凍得瑟瑟發抖。她要去的地方有五公里遠，在那樣惡劣的天氣裡，她實在不知道該走哪條路。於是，他就開車載她過去。現在回想起來，他仍能記得當時自己的感覺有多麼美好。

「人類並非完全自私，我們可以為別人做的事，可能超出自己的想像。比如，大部分的父母都願意犧牲自己的幸福與舒適，而讓孩子過得更好。

「那天我跟中國老人道別後，獨自穿過購物中心，看到一個唱詩班正唱著：『這個耶誕節，幫助無家可歸的人吧！』我想都沒想就走回鐘錶店，退回勞力士錶，拿回五千英鎊的支票，並且當場就捐給了唱詩班。結果你知道嗎？我從不曾看過一個人的臉上會充滿那樣驚訝與感激的表情——收下支票的那位女士流下了眼淚；她把支票拿給同事們看，並感激地對我說：『這將可以幫助多少人啊！謝謝你，上帝保佑你！』那一刻，我終於理解中國老人說的話了，因為我把支票捐出去，能讓許多人的生活從此有所改變，雖然可能助益甚微，卻比一輩子戴著那只錶更令我快樂。

「我也曾讀過一則故事，說的是一個父親想要教育他的兒子從小懂得給予的價值。他的兒子在六歲生日那天，收到祖母送的許多彩色氣球。生日聚會結束後，父親告訴兒子說，他有一個點子，可以利用彩色氣球做一點有趣的事——把氣球送出去。男孩對這個提議當然不以為然，可是父親保證說這樣一定會很有趣。最後，男孩同意了。

「他們來到一個破舊的收容所，小男孩走進大廳，把手中的二十個彩色氣球分送給在場的每一個人。突然間，每個人都開心地笑了。其中一位老太太已經有三年沒有人來探望了，她甚至感動得哭了。男孩的舉動如同一盞燈散發出光明一樣，每個人都因此向他道謝，說他實在太可愛了。然後，每個人都笑著爭相擁抱著這個小男孩。男孩感覺很高興，回家的路上，他問父親什麼時候可以再去一次。這是男孩一生都難以忘懷的一課，而從那天起，他每天都在找機會付出。」

「這個故事真不錯。」年輕人說。

「還有一個故事也很讓我感動，」坦斯渥德先生說，「幾年前，我遇到一個叫保羅的人，他告訴我他如何在大學時代就學會給予的力量。保羅在他十八歲生日時，從哥哥那裡得了到一輛全新的小車。於是，他開車到學校給同學們看。一個學弟撫摸著他閃亮的新車，一臉羨慕。『你覺得如何？』保羅問。『太棒了！真是太棒了！』學弟興奮地說。然後，保羅告訴學弟，這是哥哥送他的生日禮物。學弟露出十分驚訝的表情，說：『你哥哥送你的？喔！我希望……』保羅猜想這個學弟要說：『我希望我有這種哥哥。』但出乎意料，這學弟說的話跟保羅所想的完全不同，也讓保羅一輩子都無法忘記。學弟說：『我希望我能當這種哥哥。』

「保羅深受感動，答應讓學弟在午休時開他的車子去兜風。學弟難掩興奮地問是否可以在經過他家門口的時候，稍微停一下。保羅對學弟笑笑，他以為自己知道這個學弟要做什麼：要對街坊鄰居和朋友們炫耀他開著一輛嶄新的車。

「十分鐘之後，車子停在學弟家門口，學弟跑進屋裡，推著一個坐在輪椅上的男孩出來了。『哇！』小男孩睜大了眼睛叫道。之後發生的一件事，讓保羅忍不住流下淚來。學弟對他的弟弟說：『山姆，總有一天我要買一輛這種新車送給你！』聽到這句話，保羅說：『嘿！山姆，你要不要跟我們去兜風？』他把這個雙腿萎縮的男孩抱到車子上，三個人一起開車去兜風。那天，保羅第一次體會到人們所說的：『施比受更有福！』」

「所以，」坦斯渥德先生繼續說，「對別人付出，我們也相對減輕了自己的煩惱與負擔。對我來說，這就是快樂的最大祕密。你只需要對別人付出，就可以得到快樂和歡笑。」

「因此，我總是在尋找幫助別人的機會，我想付出的不只是金錢，也包括時間。所以，我結束了電腦公司的生意，開始教殘疾的小孩游泳。讓這些孩子們的生活可以有所不同，而這也使我感到非常快樂。我認為，予人幫助，或予人歡樂，是世上最快樂的事。」

在回家的路上，年輕人從坦斯渥德先生所說的話，聯想到了自己的生活。過去幾年裡，他只考慮到自己，卻從來沒有為別人著想過。他沒有想到過，幫助別人或為別人付出些什麼，尤其是幫助一些跟他特別親近的人，其實就是在幫助他自己。

年輕人回到家之後，把這天的筆記做了整理：

給予的力量

- ♣接受、追求和獲得並不能讓你得到快樂，快樂只能從付出和給予中找到。
- ♣我們付出的快樂愈多，得到的也就愈多。
- ♣每天都要找機會幫助別人，為別人付出些什麼，自己才能得到更多的快樂。

祕密9

關係的力量

兩天後，年輕人在城裡的一家咖啡店見到了名單上的第九個人：艾德．漢森。獨自住在城東一間小公寓裡的艾德．漢森，並非一直獨居，他也曾經和妻子及兩個孩子住在一棟雙拼式豪宅裡。不過，那是很久以前的事了——在他開始酗酒之前。

「我沒什麼好抱怨的，」漢森先生跟年輕人說，「是我自己搞砸的，只能怪我自己。其實，我很高興有機會改過自新，我已經清醒十年了。」

「到底是怎麼一回事呢？」年輕人問。

「那是在很多年前，我承受工作上極大的壓力、緊張、擔憂和焦慮。有一天晚上，我和幾個同事去城裡一家小酒吧喝酒，想放鬆一下。結果，酒精的作用真的使我感到很輕鬆。所以，第二天晚上我又去了小酒吧。不知不覺，我變成每天下班後都要喝掉一整瓶酒。很快地，變成兩瓶、三瓶。沒過多久，大約幾個月之後吧，我開始連白天也喝酒了。你可以想像得到，我就這樣開始過著支離破碎的日子，整天不是瘋瘋癲癲，就是萎靡不振。結果我被解雇了，太太也帶著孩子離開了我。我沒有錢支付房租和賬單，所以被逐出了那棟豪宅。接下來的日子簡直不堪回首，反正最後我無家可歸，睡在街頭，以行乞維生。」

漢森先生的故事讓年輕人深受震撼，他還從來沒有接觸過當過乞丐的人呢！他總以為無家可歸的流浪漢一定是有異於常人，不是懶惰成性，不然就是無法適應社會，甚至可能是有點神經質。可是漢森先生看起來很正常啊！漢森先生的親身經歷讓年輕人發現，任何人只要不快樂或無法緩解壓力，都有可能陷入這種悲慘的狀況。

「那你是怎麼重新振作起來的？」年輕人問。

「一言難盡，總之，我得到了幫助。當時我一直不願意承認自己需要幫助，可是我確實需要。我感覺自己完全無能為力。有一個冬天的晚上，我已經三天沒有吃東西了，又冷又餓，連喝酒也沒辦法減輕飢寒交迫的那種痛苦了，只能躲在紙箱子裡發抖。我以為自己就要死了，於是只求能快點死去，最好是沒有痛苦地死去。

「我記得後來有人站在我面前，但因為光線太暗了，我看不清楚是誰，可是他的聲音非常溫暖。他說：『艾德，跟我來，你該離開這裡了。』他伸出手來。我當時以為自己可能已經死了，因為一碰到他的手，我的痛苦馬上就消失了。他帶著我走在街道上，幾分鐘之後，我們來到一棟大房子前面。我轉頭看他，是個矮小的中國人。他遞給我一張紙條，然後說：『拿著，艾德，這就是你展開新生活的地方。保重！』我低頭看著那張紙條，再抬起頭時，他已經不見了。」

年輕人已經猜出艾德的救命恩人是誰了，但是他沒有作聲，等待漢森先生繼續說下去。

「那棟房子裡正在開會，」漢森先生說，「一個匿名酗酒者聚會。那裡十分溫暖，混雜著濃濃的咖啡香味。我坐在那裡，又看了一眼那個老人給我的紙條，上面……」

「上面寫著十個人名和電話號碼？」年輕人接著說。

「對！」漢森先生笑著回答，「奇怪的是，名單上的最後一個人名，竟然和會場公告板上寫著的名字一模一樣，就是在會場上演講的那個人：約翰·麥普倫先生。等到他們聚會結束之後，我走到麥普倫先生面前，把紙條拿給他看。他看了之後，把手搭在我的肩膀上，說：『別擔心，艾德，這裡都是朋友，如果你需要幫助，可以在這裡找到。』正如中國老人所說，那個晚上我獲得了新生。雖然我的外表又髒又臭，但他們都把我當朋友看待。生平第一次，人們願意不帶評價或批評地聽我說話。

「我開始定期參加那個叫做『AA』的聚會。在那裡，我漸漸地清醒過來。期間，我又遇到名單上的其他人，他們開始教我如何學會快樂的祕密。那些祕密對我都有很大的幫助，但是，其中真正拯救了我生命的，就是『關係的力量』。」

「關係？那是什麼意思？」年輕人不解。

「是指無條件的愛的關係。沒有了關係，生命就是空虛的。畢竟，生命就像一場宴會，只有自己一個人的話，總是不太有趣，你說是吧？

「人類創造了社會，人們需要交談，需要溝通，需要彼此，需要感覺被需要。《聖經》上也說：『獨自一人不是辦法。』」

「回想過去，」漢森先生接著說，「我發現當我忙碌於事業的同時，卻忽略了朋友和家人，或許這就是我開始喝酒的原因。我知道，如果沒有那一屋子的陌生人帶著愛和支持，理解並接受我，給我幫助卻不求回報，我是不可能獨自解決問題的。人生旅途中，你有時會突然發現自己掉進了一個深淵，無法靠自己的力量爬出洞口。這時，你會需要別人拉你一把。」

漢森先生停了一停，繼續說：「如果你問我，具體學到了什麼，我首先會說：『你的關係的品質，就是你生活的品質。』」

「這是什麼意思呢？」年輕人問道。

「快樂來自你和別人之間的友誼及愛的關係。畢竟，獨自一人做事會有多少樂趣呢？」

「這倒是真的，」年輕人說，「去年我獨自一人到塞席爾島度假，雖然那兒一切都很美好，但我總覺得少了什麼。我想，那是因為沒有人可以分享吧？！」

「沒錯，」漢森先生說，「跟你所關愛的人在一起，的確會讓美好的經歷更加充實，也會讓痛苦的時刻更好過一些。你可曾注意到，當你和別人談了自己的問題之後，往往會舒服一點？別人可能並沒有給你什麼建議或任何有效的幫助，而你的問題也可能還是沒有得到解決，但是你多少都會覺得好受一點。」

年輕人點點頭，他的確有過很多這種經驗，當他對朋友說出自己的問題或困難之後，確實感覺輕鬆多了。

「但有時你可能沒有注意到，」漢森先生繼續說，「我們常刻意地把焦慮、擔憂、沮喪或不快樂壓抑在自己內心深處。如果我們把問題藏在心裡，其實只會讓情況愈來愈糟，自己也會產生嚴重的無力感。中國俗語說：『三個臭皮匠，勝過一個諸葛亮。』這是千真萬確的，並不是說三個腦袋真的比一個腦袋管用，而是在分享、訴說的過程中，問題無形間就得到解決了。」

「關係使我們的生活更充實。如果你與人分享歡樂，就會得到更多的歡樂；如果你與人分享煩惱，你也將會消解煩惱。英國詩人拜倫曾經寫道：『所有擁有歡樂的人將會勝利，分享它，快樂將會雙倍地湧現。』」

年輕人覺得這些話很有道理，因為他自己就是那種把問題藏在心裡的人。雖然他也有親近的朋友和家人，但他很少跟他們談論自己的問題。事實上，他因此很難與別人發展出親密的關係。

「這些話都很有道理，」他說，「我也明白你所說的，可是，有些人就是很難去發展並維持與別人的關係。」

「如果你認為發展關係很困難，那麼你會發現生活也很困難。」漢森先生說。

「對！」年輕人同意，「以我來說，我就一直有些孤僻。我總是很難跟別人成為朋友，或讓彼此的關係更親密。」

「有沒有聽說過一句話：『過去並不等於未來』？」

「沒有。」

「這句話的意思是，昨天發生過的事，並不等於明天也會發生；你過去有拓展關係上的困難，並不意謂著你在將來也會有同樣的困難。很可能是你過去用錯了方法，走錯了方向。」

「這是什麼意思？」年輕人問道。

「你為什麼會喜歡一個人？」漢森先生反問。

「我也不知道，也許，有時候就是會跟某人一見如故。」

「好。讓我們從另一個角度看看。你覺得哪一種人比較容易接近？是雙眼看著你的人，還是眼光迴避你的人？」

「我想是看著我的人吧！」

「好。你在什麼情況下會覺得比較自在？是某人跟你用力地握手，還是有人用泥鰍似的手跟你握手？」

「當然是用力握手。」

「你比較喜歡只顧談他自己的人？還是除了他自己，對你的事情也有興趣的人？」

「我喜歡對我也有興趣的人，」年輕人說，「可是這些都是人之常情啊！」

「這些的確都是人之常情，」漢森先生說，「可是當你第一次跟某人見面，你會意識到這些嗎？不，大多數人都不會注意到這些情形。而他們卻常常覺得奇怪，為什麼自己很難跟別人發展親密關係。」

年輕人仔細想了想，說道：「你是對的。我的確沒有認真思考過這些。」

「如果我們想和別人維持朋友關係，就必須學會接受別人的真性情，甚至接受他們的缺點，而不是只注意他們的優點。當他們犯錯時，我們要原諒他們，就如同我們犯錯時，也希望得到他們的原諒一樣。」

「是的，」年輕人說，「上個星期，我就曾經跟一個人長談過有關寬恕的力量。」

「寬恕是很重要的。」漢森先生說，「如果沒有了寬恕，我們最後就會孤獨而終，非常痛苦。當我們重視自己和別人的關係時，自然而然就會以不同的態度來對待別人。我們對別人好，別人也會對我們好。」

「可是我還是覺得維持關係並不容易。」年輕人說，「任何關係中都有許多問題與摩擦，不是嗎？」

「當然，不過我找到一個技巧，這個技巧對維持我的所有關係都很有幫助。」

「什麼技巧？」年輕人問。

「我總是假想自己似乎永遠不會再看到對方。如果你想像自己以後永遠不會再看到這些人，你對待朋友、家人甚至陌生人的態度，就會有很大的不同。」

年輕人搖搖頭說：「我不太明白。」

「如果你覺得可能再也看不到你的妻子或女朋友，你會不上前親吻或擁抱她們之後才讓她們離開嗎？」

「不會。」

「你會在爭吵和解之前，就向對方說再見嗎？」

「不會。」

「你會在說出你有多在乎她們之前，就讓她們離開嗎？」

「不會。」

「那麼，換成是工作上的夥伴、朋友或其他的親人呢？如果你認為自己再也見不到他們了，你會試著盡可能跟他們友好相處嗎？你會不會盡量避免在感覺很糟糕的時候跟他們分別？」

年輕人點點頭，漢森先生的話讓他想了很久。他想到自己最後一次見到母親的時候，是一個炎熱的夏日，母親正要出國度假，他則趕著跟朋友打網球，於是他匆忙地親了一下母親的臉頰。他不知道母親會就這麼一去不回，而這是他最後一次跟她道別。那一刻，成了他這一生最後悔的時刻。他現在終於明白，該如何避免這種事情再度發生在他關愛的人身上。很簡單，如同漢森先生所言，「好好對待別人，如同不會再見到他們一般。」

「很多人不重視與別人的關係。」漢森先生說，「我重視事業甚於我的家庭，結果兩者皆失。很多人選擇賺錢甚於經營關係。你可能會很驚訝，有很多兄弟姐妹、父母孩子竟會因為金錢而爭吵。他們犧牲了最親密的關係，卻沒有意識到，他們同時犧牲了快樂。」

這天晚上，年輕人把白天與漢森先生的談話筆記做了整理：

關係的力量

- 我們和別人的關係品質，就是我們生活的品質。
- 沒有人可以忍受孤獨，我們都需要關係。
- 親密的關係讓快樂的時光更加快樂，也讓痛苦的時光更容易度過。因為分享歡樂，你會得到雙倍的歡樂；分享煩惱，則幫助你消解煩惱。
- 好好對待每一個人，如同不會再見到他們一般。

祕密10
信心的力量

一個星期後，年輕人終於有機會見到名單上的最後一個人。這段期間裡，他開始復習並練習之前學過的幾個「祕密」；他把快樂列為第一優先，並嘗試以正面的態度來看待每一個困難。他開始有意識地運用身體的力量，特別是定期運動並注意飲食。

年輕人實踐了活在當下的法則，這對工作尤其有益，他發現自己更加沉穩，也很少緊張憂慮。甚至連老闆也注意到他的改變，當面稱許他的努力表現。年輕人每天重複背誦正面的宣言，進行自我想像；他還發現每天一早起床就自問五個有力的問題，會使自己更加熱誠，更加渴望面對挑戰。

不只如此，他還運用「搖椅技巧」，找出自己的終生目標和短期目標，並且寫下來每天誦讀三次，牢牢記住。他發現，有了目標並努力朝目標前進的時候，自己比以前更有活力和熱情了。

年輕人也開始嘗試改變態度，盡量發現事物有趣的一面，尤其是在壓力大的情況下。他隨時注意要以最後一次見到對方的態度對待所有人，絕不讓別人在接受他的感激之情前離開，包括他的家人、朋友和工作夥伴。

年輕人立即感覺到的另一個變化是，當他在對別人付出關懷和幫助、散播快樂的同時，也感到了快樂；他對別人微笑的時候，自己也感覺良好；他深深地體會到，能夠對別人的生活造成一點影響，感覺實在是很美妙。

他比以前更有活力，也更加快樂。他終於相信，快樂的祕密真的對他很有效。

「接下來呢？」他想著，「最後一個人可能再教我什麼嗎？」

珍．韓德森小姐住在城市北邊離市區幾公里遠的郊區小公寓裡，是個身材嬌小的漂亮女人，四十出頭，有著金色的及肩秀髮和碧綠的大眼睛。

「那麼，你見過中國老人了？」韓德森小姐說。

「是的。他是在幾個星期前，我的車子出故障時出現的。」

「很奇妙是吧？在你最不經意的時候，事情就悄悄地發生了。」韓德森小姐說。

「我也是這麼想。」年輕人說。

「有一個法則叫做『第十一個小時』，你有沒有聽說過？」

「沒有。」年輕人搖搖頭說。

「很簡單，就像是在晚上最黑、最冷的時候，或者破曉之前的黑暗之中，事情看起來似乎已無轉機，卻往往會出現一個戲劇化的轉機，然後一切都好轉起來。那位中國老人通常就出現在第十一個小時。」

「這倒是真的。」年輕人點頭同意。

「我遇到中國老人時，正好很不快樂。」韓德森小姐說。

「為什麼？」年輕人問。

「那時我母親剛去世一個月。現在想起來，恍如昨日。」

年輕人對韓德森小姐因為自己而說出這樣的往事，感到十分抱歉。他說：「喔！對不起，我很遺憾。」

「謝謝，不過沒有關係，真的。我那時才二十一歲，剛剛結束大學最後一學年的考試。我當時很震驚，因為我母親除了煙癮極大之外，身體一向很好。可是，她卻突然在一個星期天心臟病發，然後就去世了。

「有一天，我坐在公寓陽台上，想念著我的母親。不知道過了多久，我突然發現，鄰居家的陽台上有一位中國老人。我們四目相對，他笑著跟我打招呼，然後我們便開始交談。很奇怪，我以前從來沒有見過他，但感覺卻好像熟識多年一般。」

年輕人想起自己跟中國老人的相遇，當時他也有這樣的感覺。

「那個老人是那麼有智慧，有風度，」韓德森小姐說，「他似乎知道我有點不對勁，而且很有趣的是，他主動把談話引導到有關死亡的主題上。他解釋說，死亡是個值得慶祝的時刻，不是悲傷的時刻。」

「你所愛的人死了，永遠見不到了，怎麼會值得慶祝呢？」年輕人困惑地說。

「我也是這麼問他，」韓德森小姐說，「中國老人隨即向我解釋了快樂的黃金定律。」

「喔！對！他也有告訴過我。」年輕人說，「是我們的態度和信念，而非境遇決定我們的感覺。」

「沒錯。」韓德森小姐微笑著說，「老人解釋說，在他們國家，一般都相信人早在出生之前就存在於世界上了。人活在這個世界上，就像到學校上學一樣，學業完成，自然就畢業了。當人死去時，靈魂還會繼續行走。很多宗教都相信，死亡只是身體上的，但靈魂還會在另一個時空中繼續活下去；在那裡，人們可以再次遇到自己所愛的親人及朋友。《聖經》用『沉睡』來比喻死亡，就是認為人們總有一天會醒來。」

韓德森小姐指著年輕人身邊牆上的一塊匾牌，繼續說道：「我第一次讀到這些文字，是在一塊有三百年歷史的墓碑上。上面寫著：『有個古老的信仰：在某個莊嚴的湖濱，沒有憂傷，親愛的朋友們將會再見。』

「如果你相信死亡就是結束，就是完全分離，那就真的結束了。如果你相信分離只是暫時的，靈魂一直都活著，那就不會真的結束。」

「可是，即使死亡並非永久，任何分離卻仍令人悲傷，不是嗎？」年輕人說。

「是的，即使短暫的分離也是令人悲傷的。」韓德森小姐說，「雖然東方的某些信仰認為死亡是喜事，認為人死後靈魂將會回到真正的家，但那已經是一個更高層次的境界了。但是，跟中國老人談話的那天，我不僅減輕了憂傷，也開始重新審視自己的信念。」

「怎麼說呢？」年輕人問。

「我曾經是個很悲觀的人，」她說，「你相信嗎？才十二歲，我就擔憂自己總有一天會死去！我擔憂每一件事，每一件說過、做過或將做的事，以及做錯或可能做錯的事。如果沒有什麼事可以擔心，我又會擔心是不是有什麼事應該擔憂。」

年輕人完全能夠理解這一點。他大多數時候也總是在擔憂各種事情，包括工作進度、賬單、健康……他總認為一定有什麼不對勁，遲早會出錯。

「和中國老人的談話使我明白，」韓德森小姐繼續說，「我擔憂的所有事情幾乎都是不重要的。對我來說，面對死亡是最嚴重的，其他的事情，包括什麼賬單、債務、考試、工作……相對而言都不重要。中國老人向我介紹了快樂的祕密，而我可以很坦誠地說，那真的改變了我的一生。

「我從來沒有想過，我就是主宰自己的快樂或悲傷的那個人。現在我知道了。我知道了態度和信念的重要性、身體對情緒的影響力、自我想像的力量、目標和幽默感的必要性；我也瞭解了活在當下的價值。但是，我認為我最需要學習的祕密，就是『信心的力量』。」

「信心？」年輕人問道：「信心跟快樂有關係？」

「我們要生活、要快樂，就需要一定的信心，」韓德森小姐說，「舉例說吧，你會開車嗎？」

「會啊！」

「你怎麼知道你的車子性能安全呢？」

「一個月前我剛剛把車子送去檢修過。」

「那你怎麼知道引擎運作良好呢？」

「嗯……我是不太確定！可是……」

「所以你必須對引擎有信心，而且，你怎麼確定開車的時候不會出意外呢？」

「我開車很小心。」年輕人回答。

「所以，你對自己的開車技術有信心。可是，馬路上會有其他開車不小心的駕駛，不是嗎？」

「可能有。」年輕人承認，「但我想大多數人開車都很小心。」

「所以你也對路上的其他駕駛有信心。為了要開車，你必須對汽車製造商有信心，還必須對自己和其他駕駛的技術有信心。你可以想像，如果你不想每天活在恐懼和焦慮之中，必須要有多少信心啊！」

「我明白了。」年輕人說。

「有一種信心是我們最需要的，」韓德森小姐說，「即對神的信心，那是一種更高的力量，一種宇宙的力量，隨你怎麼稱呼。」

「你的意思是，我們必須對神有信心才會快樂？」

「不。我的意思是，如果沒有這種信心，你就很難找到持久的快樂。就好像兩個人各自蓋房子，一個用石頭做材料，另一個用沙做材料。天氣好的時候，房子都很堅固，他們也很快樂。但暴風雨一來，那座用沙蓋成的房子就遭殃了。信心就像蓋成快樂之屋的石頭，可以抵抗任何打擊，並讓擁有這棟房子的人產生希望和勇氣。

「美國心理學家威廉．詹姆斯曾寫道：『信心是人們生活的力量之一，失去信心，就意謂著崩潰。』聖雄甘地也說：『沒有信心，我恐怕早就變成瘋子了。』沒有信心，生命就會陷入猶疑、憂愁、焦慮和恐懼。心理學家也指出，擁有強烈宗教信仰的人，比較能夠忍受壓力、沮喪、失落等狀況。你再看這本書，」她從書架上取出一本瑞士心理學家榮格博士所寫的《尋找靈魂的現代人》，接著說道，「榮格博士寫道：『在我所有步入人生第二階段，即三十五歲以上的病人中，他們的問題無一不是要尋找生命中的最終信仰；也就是說，這些人之所以感到奄奄一息，是因為他們失去了生命的信仰。而在找到信仰之前，他們是無法真正康復的。』」

「我明白你所說的，」年輕人說，「可是，我想我並不相信神真的存在。」

韓德森小姐想了一下，說道：「如果我告訴你，美國海盜二號火星探測器是在幾百萬年前，由金屬、塑膠和好幾種化學合成物組合而成，你一定會說我瘋了，對不對？」

「當然！」

「那是因為你知道海盜二號是被現代人設計出來的，所以能如此確定，是吧？」

「是的。」年輕人肯定地說。

「當你研究人體的時候，你會發現人體的設計比海盜二號更加複雜，」韓德森小姐解釋道，「舉例來說，哥倫比亞號太空梭是由五百二十萬個零件所組成；然而，人體僅僅一小塊眼角膜，就含有一億多個細胞。就目前的科技水準而言，我們設計的電腦恐怕要像紐約帝國大廈那麼大，才能比得上人類的大腦。由此可見，這種超自然的設計水準與精確度是多麼不可思議。」

「可是，如果有上帝或神存在的話，」年輕人堅持道，「為什麼世上還會有那麼多的不幸？」

「你說幾個星期以前很不快樂，」韓德森小姐說，「為什麼是那時不快樂，而不是現在呢？」

「因為現在我已經學會了快樂的祕密。」年輕人說。

「如果不是你為自己創造了快樂的力量，還會是誰呢？」

「你的意思是，我們每個人都可以使自己快樂。」

「當然！我們的不快樂，是我們自己的思想和行為所導致的。對我而言，快樂的祕密中最重要的是，只有一個人可以讓你快樂或不快樂，那就是你自己。」

年輕人點頭同意：「是的，我相信。」

韓德森小姐接著解釋道：「總之，信心是我們每個人都擁有的東西，就在我們內心深處。我堅信，如果你要尋找真理，你就能找到。當我們感到非常疑惑、失落的時候，就會有觸動我們內心的奇蹟發生。」

「譬如說……」年輕人試探地問。

「譬如和中國老人相遇的奇蹟！」

這天晚上睡覺之前，年輕人反覆閱讀今天的筆記：

信心的力量

- 信心是快樂的基石。
- 沒有信心，就沒有永恆的快樂。
- 信心創造真理，引領心靈走向平和，釋放內心的疑慮、擔憂、焦慮和恐懼。

尾聲

年輕人坐進車子之前，有幾滴雨水滴到了他的額頭上。幾分鐘之後，雷電交加；暴雨來了，豆大的雨點重重打在擋風玻璃上。年輕人的思緒被拉回到大約一年前的一個晚上，他就是在那晚遇見了中國老人。他清楚記得，當時的自己是多麼悲慘，然後他笑了。他似乎還能看到，就在那個暴風雨之夜，自己在風雨中走回車子，卻還不知道即將遇到一個神奇的人——那個人將改變他的生命。

自從那次相遇之後，年輕人變得更有活力，更有熱情，也更加快樂。身邊的人都注意到，他的眼神充滿光彩，腳步輕盈，而且經常面帶微笑。雖然他仍然從事原來的工作，住在原來的公寓，開著原來那輛車，擁有原來那批朋友，但有一件事改變了……那就是他自己！

人們常常問他，為什麼他總是這麼快樂？這時，他就會說出和中國老人相遇的故事，以及他學到的快樂的祕密。跟別人分享他所學到的東西讓他感覺很快樂，因為他知道，這將改變他的生命和經歷。很多人因此打電話向他道謝，還建議他把這些故事寫出來，出版成書。

突然，一聲巨響，接著汽車引擎蓋冒出了白煙。年輕人把車子緩緩駛向路邊，然後，走了四公里的路去打電話給道路救援服務中心。

接著，他走回車旁，等待維修人員到來。這時他忍不住又笑了起來。他開始感到興奮，希望會看到那位中國老人正彎著腰檢視他的車，如同一年前的情景。他要感謝那位中國老人，告訴他，快樂的祕密改變了自己的生命。可是，中國老人並沒有出現。

年輕人走近駕駛座那一側的車門，正準備拿鑰匙開門的時候，他注意到地上有個黃色的東西。他彎腰撿起。

「你相信嗎？」年輕人對自己喊道，他手上是一頂黃色的棒球帽！

當他坐進車子等待維修人員的時候，突然冒出一個想法。於是他拿起筆，打開筆記本，開始寫下：「這故事要從一個又濕又冷的十月天說起……」

快樂的祕密箴言

♣想過一個完美的人生，
只要好好度過每一刻就行了。

♣不要問：「這件事有多可怕？」
要問：「這件事有多有趣？」
或「這件事能不能有趣一些？」

♣每天，我都要找機會幫助別人，
為別人付出些什麼，自己才能得到更多

關於你的快樂的祕密

你也在尋找那位中國老人嗎？

其實，他已經出現了，
並且交給你一個任務——
寫下你關於快樂的祕密，
並將之散播開來！

國家圖書館出版品預行編目資料

快樂的祕密／亞當・傑克遜（Adam J. Jackson）著；周思芸譯. --——初版. ——
臺北市：商周出版：家庭傳媒城邦分公司發行, 2009.01
面；　公分. ——（View point；26）
譯自：The ten secrets of abundant happiness
ISBN 978-986-6571-85-5（平裝）

1. 自我實現 2.快樂

177.2　　97023036

View point 26

快樂的祕密

The Ten Secrets of Abundant Happiness

作　　者／亞當・傑克遜（Adam J. Jackson）
譯　　者／周思芸
企畫選書人／彭之琬
責任編輯／黃靖卉

版　　權／林心紅
行銷業務／蘇魯屛、賴曉玲
總 編 輯／彭之琬
總 經 理／黃淑貞
發 行 人／何飛鵬
法律顧問／台英國際商務法律事務所 羅明通律師
出　　版／商周出版
台北市104民生東路二段141號9樓
電話：(02) 25007008　傳真：(02)25007759
E-mail：bwp.service@cite.com.tw
發　　行／英屬蓋曼群島商家庭傳媒股份有限公司 城邦分公司
台北市中山區民生東路二段141號2樓
書虫客服服務專線：02-25007718；25007719
服務時間：週一至週五上午09:30-12:00；下午13:30-17:00
24小時傳真專線：02-25001990；25001991
劃撥帳號：19863813；戶名：書虫股份有限公司
讀者服務信箱：service@readingclub.com.tw
城邦讀書花園：www.cite.com.tw
香港發行所／城邦（香港）出版集團有限公司
香港灣仔駱克道193號東超商業中心1樓_ E-mail:hkcite@biznetvigator.com
電話：(852) 25086231　傳真：(852) 25789337
馬新發行所／城邦（馬新）出版集團【Cite (M) Sdn. Bhd. (458372U)】
11, Jalan 30D/146, Desa Tasik, Sungai Besi,
57000 Kuala Lumpur, Malaysia
電話：（603）90563833　傳真：（603）90562833

封面設計／黃心磊
排　　版／極翔企業有限公司
印　　刷／韋懋印刷事業有限公司
總 經 銷／聯合發行股份有限公司 電話：(02) 29178022　傳真：(02) 29156275

■2009年01月01日初版　　Printed in Taiwan
■2012年04月12日初版8.5刷
定價99元

 ISBN 978-986-6571-85-5（平裝）